Gabrielle Roy et Margaret Laurence:
deux chemins, une recherche

Dans la même "Collection Soleil":

Gabrielle Roy sous le signe du rêve
Annette Saint-Pierre

Donatien Frémont: Journaliste de l'Ouest canadien
Hélène Chaput

Terrance Hughes

Gabrielle Roy et Margaret Laurence:
deux chemins, une recherche

2e ÉDITION

LES ÉDITIONS DU BLÉ
Saint-Boniface (Manitoba)
1987

Les Éditions du Blé remercient chaleureusement
le Conseil des Arts du Canada
et
le Conseil des Arts du Manitoba
de l'appui financier
qu'ils ont donné à la publication de cet ouvrage.

PHOTOS DE COUVERTURE:
Gabrielle Roy, Les Éditions Alain Stanké
Margaret Laurence, Terri Nash

ISBN 0-920640-36-2

LISTE DES ABRÉVIATIONS

Oeuvres de Gabrielle Roy

BO: Bonheur d'occasion
PPE: La Petite Poule d'Eau
AC: Alexandre Chenevert
RD: Rue Deschambault
MS: La Montagne secrète
RA: La Route d'Altamont
RSR: La Rivière sans repos
CEV: Ces enfants de ma vie
FLT: Fragiles lumières de la terre

Oeuvres de Margaret Laurence

TSJ: This Side Jordan
TT: The Tomorrow-Tamer
SA: The Stone Angel
JG: A Jest of God
FD: The Fire-Dwellers
BH: A Bird in the House
DIV: The Diviners

Par souci d'uniformité et de clarté, nous présentons toute citation de critique littéraire en anglais traduite en français dans le corps de l'étude, avec renvoi à une note où figure le texte original. Toute citation littéraire en anglais (tirée notamment de l'oeuvre romanesque de Margaret Laurence) paraît en anglais dans le corps du travail avec traduction en français dans une note. À moins d'avis contraire, c'est nous qui traduisons les textes.

Toute citation tirée des oeuvres de Gabrielle Roy et de Margaret Laurence dans notre étude renvoie à l'édition la plus récente de l'oeuvre en question (voir la bibliographie).

T.H.

INTRODUCTION

In a sense, we haven't got any identity until somebody tells our story. The fiction makes us real.

How do we fit our time and our place? To answer is a simple necessity.

Robert Kroetsch[1]

Les littératures québécoise et canadienne ont évolué chacune dans une solitude relativement peu troublée par la curiosité de l'Autre. La littérature comparée canadienne en est encore à ses débuts, et comme le roman au dix-neuvième siècle, elle naît difficilement.

Dans un article intitulé "*Comparative Canadian Literature: Past History, Present State, Future Needs*[2]", David M. Hayne énumère plusieurs aspects du domaine qui demandent une attention particulière à l'avenir. Il manque une bibliographie collective systématique de la littérature comparée canadienne; il n'existe pas d'article ou de manuel méthodologique qui introduise à la discipline et propose d'éventuels champs d'étude. Qui plus est, la littérature comparée canadienne n'est pas tout à fait intégrée à l'ensemble des littératures comparées, et devrait l'être; les comparatistes canadiens devraient s'intéresser à la littérature comparée canadienne et y apporter leur compétence et leur expérience.

En 1943, le critique E.K. Brown observait:

> Parmi les quelque douze millions de Canadiens dispersés au long de la frontière canado-américaine, environ un tiers sont de langue française. Ces francophones lisent très peu ou pas du tout dans d'autres langues que le français, à part une petite minorité, très conservatrice, qui connaît les classiques de même que la philosophie scolastique, et une autre minorité, celle-ci sensiblement plus grande, qui est au courant de l'édition en anglais qui a

> trait aux questions d'ordre politique et économique. Le sentiment d'identité culturelle est plus fort au Canada français qu'au Canada anglais, mais l'identité est canadienne-française et non canadienne tout court. Les Canadiens français ne s'intéressent guère à la littérature et à la culture canadiennes; parmi les gens les plus cultivés, la plupart ne connaissent même pas les noms des écrivains canadiens significatifs. Il arrive de temps en temps qu'un ouvrage important soit traduit de l'une à l'autre des langues officielles, mais il s'agit plus souvent d'un livre canadien-français traduit en anglais, que d'un livre canadien-anglais traduit en français. Louis Hémon fut Français de France, mais c'est parce que *Maria Chapdelaine* parlait du Canada français qu'un éminent avocat ontarien a traduit le roman en anglais, produisant ainsi l'une des versions les plus réussies de notre époque. La traduction de W.H. Blake est en soi un chef-d'oeuvre; jusqu'à présent, nul Canadien français ne s'est consacré avec autant de dévouement à la traduction d'un livre canadien-anglais[3].

Vu l'isolement relatif des deux littératures, il n'est pas surprenant de constater qu'il existe à leur sujet très peu d'études comparatives. Cette situation découle largement du fait qu'il existe peu de possibilités d'étudier les littératures québécoise et canadienne ensemble dans les institutions académiques, exception faite de l'Université de Sherbrooke qui, depuis 1962, offre un programme d'études menant à la Maîtrise en littérature comparée canadienne. Les spécialistes de la matière n'abondent pas non plus. Les recherches déjà entreprises sont souvent limitées à l'étude thématique, surtout pour ce qui concerne le roman; on note une absence relative d'études stylistiques, qui seraient d'autant plus pertinentes que les littératures en question s'expriment dans deux langues différentes. On a étudié déjà les liens entre les littératures québécoise et française, et entre la littérature canadienne-anglaise et d'autres littératures d'expression anglaise; toutefois, les littératures québécoise et canadienne n'ont pas encore fait l'objet d'études suivies; tout est donc à faire dans le domaine.

Dans sa bibliographie des oeuvres littéraires québécoises et canadiennes traduites dans l'autre langue[4], Philip Stratford retrace rapidement quelques tentatives de mettre en relief l'évolution des deux littératures, tentatives qui ont la plupart du temps abouti à des mises en relief "côte à côte", sans pour autant élucider "l'évolution de notre caractère national[5]". Les bibliographies de chaque littérature sont nombreuses: cependant, c'est seulement en 1874 que paraît une première histoire globale des littératures canadiennes: il s'agit en l'occurrence de l'*Histoire de la littérature canadienne* de John Lovell (publiée à Montréal) qui fut complétée trois ans plus tard par ses *Mélanges historiques et littéraires*. Il a fallu attendre encore cinquante ans avant que paraissent des ouvrages présentant des échantillons de la création littéraire des deux collectivités[6]; en 1930, l'*Histoire de la littérature canadienne* de Mgr Camille Roy comporte plusieurs chapitres sur la littérature canadienne-anglaise. Au cours des années quarante, quelques publications sont consacrées à la poésie québécoise et canadienne. Les années cinquante n'apportent que peu d'études dans le domaine et au cours des années soixante, les Dudek, Falardeau, Pierce, Pacey, Bonenfant et Sutherland élèvent des voix plutôt solitaires.

Par souci de clarté et de simplicité, et sans vouloir rouvrir ici tout le débat socio-politique sur la véritable identité du Québec et du Canada, nous précisons que dans notre étude, nous nous servirons des appellations *littérature québécoise*, à savoir, la littérature d'expression française créée au Québec, et *littérature canadienne*, qui désigne la littérature d'expression anglaise des provinces anglophones et, à la rigueur, la littérature d'expression anglaise du Québec. Cette terminologie s'impose, à notre avis, dans la mesure où il faut mettre fin à l'équivoque qui a caractérisé les appellations dans le passé. Ce n'est qu'à partir des années soixante que le terme *littérature québécoise* est d'usage courant. Nous évitons le terme *littérature canadienne-française*, car nous ne parlerons pas ici d'écrivains d'expression française dont l'essentiel de l'oeuvre n'a pas été élaboré au Québec. Nous ne voulons point, ce faisant, minimiser l'importance des communautés francophones hors Québec; dans l'optique de la présente étude, nous tenons plutôt à souligner que deux littératures distinctes évoluent à l'intérieur d'un pays (le Canada) qui a la prétention de s'être doté d'une culture reposant sur deux langues. Néanmoins, la littérature québécoise est incontestablement d'expression française, sa spécificité géographique et socio-politique n'étant plus à démontrer. La littérature canadienne est d'expression anglaise: sa spécificité est autre que celle du Québec, et il en va de même pour ses bornes géographiques.

L'élaboration d'un travail de recherche en littérature comparée canadienne soulève non seulement les problèmes dont nous venons de parler, mais également celui des traductions. En effet, la diffusion des oeuvres littéraires de chaque culture par le biais de traductions est un phénomène assez récent[7]. À l'heure actuelle, plus d'une douzaine de romanciers québécois ont eu au moins trois romans traduits en anglais et huit autres en ont au moins deux. Selon Philip Stratford, il existait, avant 1920, peu de traductions littéraires et on pouvait difficilement parler d'une tradition de la traduction. Entre 1900 et 1970 quelque dix-neuf romanciers canadiens ont été traduits en français, la moitié des oeuvres traduites étant signées Arthur Hailey, Malcolm Lowry ou Mazo de la Roche. Depuis 1960, plus de cent romans québécois ont été traduits en anglais, dont le quart, environ, sont de Marie-Claire Blais, Gabrielle Roy, Roch Carrier ou Louis Hémon. Pendant cette période, plus de traductions ont été publiées que pendant toutes les années précédentes; le nombre de traductions a doublé tous les cinq ans, toujours selon l'étude du Professeur Stratford. Mais il y a depuis des années deux fois plus de traductions du français à l'anglais que dans le sens inverse, disproportion qui commence à se modifier peu à peu. Cette disproportion ne s'explique guère par la seule disproportion des populations du Québec et du Canada anglais, mais il n'est pas de notre propos de nous attarder ici sur cette question.

Si nous avons longuement insisté sur l'indifférence réciproque qui a, pour ainsi dire, milité contre les études comparatives canadiennes en littérature, et sur l'absence d'instruments de travail dans ce domaine, c'est pour souligner les difficultés auxquelles nous avons dû faire face en entreprenant l'étude qui suit. Cette étude comparative de l'oeuvre romanesque de Gabrielle Roy et de Margaret Laurence est, à notre connaissance, la première de son genre. Dans un premier temps, nous nous pencherons sur les débuts de l'écriture chez les deux romancières, en montrant à quel point l'exil et l'apprentissage, ainsi que l'articulation d'un langage particulier, ont suivi un cours semblable chez les deux. Par la suite, nous verrons, à travers les divergences et les parallélismes dans l'élaboration de l'oeuvre, de quelle manière la "vision du monde" de Roy et de Laurence a pris forme pour ensuite s'épanouir.

Cette analyse préliminaire mais indispensable à la compréhension de la démarche des deux romancières aboutira à un champ d'étude privilégié de l'oeuvre romanesque de Roy et de Laurence: celui des personnages. Nous examinerons divers personnages, dont les femmes, les mères et d'autres personnages marginaux, leur relation au milieu, ainsi que les répercussions du milieu sur les personnages, sans oublier la recherche du temps perdu, le temps privilégié de l'enfance, afin d'élucider l'évolution d'une pensée sociale chez les deux auteurs. Nous nous poserons également la question de l'écrivain et l'artiste en tant que marginaux et visionnaires dans la société, et celle de la conception de l'individu et de la société que se font les deux romancières. Nous nous devons enfin d'examiner très attentivement l'espace dans l'oeuvre romanesque de Roy et de Laurence, car l'univers manitobain qui l'inspire, en grande partie, est d'une importance primordiale.

Cette étude comparative devra nous permettre, en guise de conclusion, de préciser d'éventuelles orientations des études comparatives des littératures québécoise et canadienne dans l'avenir.

---

1 Robert Kroetsch, *Creation* (Toronto: New Press, 1970), p. 63.

2 "*Comparative Canadian Literature: Past History, Present State, Future Needs*", *Canadian Review of Comparative Literature/Revue canadienne de littérature comparée*, *Spring*/Printemps 1976, 113-123, 124-136 (bibliographie préliminaire). Voir aussi Philip Stratford, "*Canada's Two Literatures: A Search for Emblems*", *CRCL/RCLC*, *Spring/* Printemps 1979, 131-138.

3 E.K. Brown, "*The Problem of a Canadian Literature*", *Masks of Fiction*, Ed. A.J.M. Smith (Toronto: McClelland & Stewart [NCL no. 2], 1961), pp. 43-44. *Of the fewer than twelve million Canadians who are strung along the American border in a long thin fringe, almost a third are French-speaking. These read little if at all in any language except French, apart from a small, highly conservative minority which studies the classics and scholastic philosophy, and a rather larger minority which keeps abreast of books in English that treat of political and economic subjects. In French Canada the sense of cultural nationality is much stronger than in English Canada, but the nationality is French Canadian, not Canadian* tout court. *French Canada is almost without curiosity about the literature and culture of English Canada; most cultivated French Canadians do not know even the names of the significant English Canadian creative writers, whether of the past or present. Occasionally an important Canadian book is translated from the original into the other official language; but it is much more likely that the work of a French Canadian will be translated into English than the work of an English Canadian will be translated into French. Louis Hémon was a* Français de France, *but it was because* Maria Chapdelaine *dealt with French Canada that a distinguished Ontario lawyer translated the novel into English, making one of the most beautiful versions of our time. W.H. Blake's translation of Hémon's book is a masterpiece in its own right; no French Canadian has as yet laboured with such loving skill to translate any book that deals with English Canada.*

4 Philip Stratford et Maureen Newman, *Bibliography of Canadian Books in Translation: French to English and English to French/Bibliographie de livres canadiens traduits de l'anglais au français et du français à l'anglais* (Ottawa: HRCC/CCRH, 1977). Nous devons à John O'Connor un supplément à cette bibliographie, qui recense les livres traduits jusqu'au début de 1982.

5 Voir Clément Moisan, *L'Âge de la littérature canadienne* (Montréal: HMH, 1969), p. 20.

6 Voir Lorne Pierce, *An Outline of Canadian Literature* (Toronto: The Ryerson Press, 1927).

7 Stratford, *op. cit.*, p. x.

PREMIÈRE PARTIE:
Deux chemins

CHAPITRE I

LE ROMAN QUÉBÉCOIS ET CANADIEN

Afin de bien souligner l'ampleur et l'importance de l'oeuvre romanesque de Gabrielle Roy et de Margaret Laurence dans les contextes québécois et canadien, il serait utile de retracer brièvement quelques points de repère dans l'évolution du roman au Québec et au Canada. En abordant cette étude du roman, il n'est pas de notre propos de démontrer forcément l'existence d'une évolution analogue des deux littératures; nous tenons plutôt à mettre en relief l'état du genre romanesque à diverses époques, à l'intérieur de deux collectivités à la fois colonisées et marginales. Que le roman ait droit de cité dans l'ensemble des lettres québécoises et canadiennes, nul ne saurait en douter à l'heure actuelle. Cependant, il n'en a pas toujours été ainsi. En effet, ce n'est que depuis la Deuxième Guerre mondiale que le roman, au Québec et au Canada, doit de moins en moins aux modèles étrangers qui ont souvent inspiré sa création. En outre, si la poésie a connu une floraison assez prodigieuse à partir des années cinquante, il est assez aisé de constater que le roman est devenu depuis lors un genre de premier plan dans les deux littératures. On a très souvent tendance, en analysant le roman, à insister sur la relative "jeunesse" du Québec et du Canada, pour expliquer son état actuel, et pour excuser, en quelque sorte, son ampleur relativement modeste par rapport aux autres littératures. Toutefois, comme nous le rappelle Northrop Frye, le Canada (et par extension, le Québec) n'est ni "jeune" ni "nouveau": il a précisément le même âge que tout autre pays capitaliste industrialisé[1].

Depuis l'époque où paraît le premier roman en Amérique du Nord, à savoir, *The History of Emily Montague* de Frances Brooke, publié en Angleterre, en 1769, et jusqu'au début du dix-neuvième siècle, le Canada anglais est peu peuplé et sa population peu portée à la création littéraire. Au Canada français le roman connaît des débuts également difficiles, et naît, selon Gilles Marcotte, "dans sa propre négation[2]".

Lorsque paraît en 1837 le premier roman canadien-français, *Le chercheur de trésors, ou l'influence d'un livre* de Philippe Aubert de Gaspé fils, l'existence même de la nation canadienne-française semble précaire; une fois franchie cette première étape de la création romanesque, ce sera l'Histoire qui inspirera les poètes, les romanciers, voire les critiques littéraires. On ne dira jamais assez, en effet, l'influence capitale qu'a pu exercer l'*Histoire du Canada* (1845-48) de François-Xavier Garneau. La Rébellion de 1837 fut matée; l'extrême fragilité de l'existence de la collectivité française en Amérique ne laissa point indifférents les écrivains; par le biais de l'Histoire, ils tentèrent de revaloriser l'évolution du Canada français[3].

Au Canada anglais, le roman, loin de servir à revaloriser l'histoire et à sensibiliser la population à son passé glorieux devient plutôt un moyen d'évasion. Les écrivains plongent leurs lecteurs dans des décors moyenâgeux et leur font vivre des intrigues où règnent la splendeur ou la terreur; souvent, leurs récits sont empreints d'une grande nostalgie d'une aristocratie européenne très éloignée dans le temps et l'espace. Toutefois, les oeuvres qui suivront de près *The History of Emily Montague* auront comme décor le Canada. Les romans qui s'écrivent en Angleterre à cette époque, et même les écrits de Frances Brooke dont les intrigues se déroulent en Angleterre, sont remplis de violence, d'enlèvements, de séductions, de duels, de brigands et de fantômes, éléments dont on notera la relative absence dans la production canadienne.

> Nul romancier majeur, nul roman majeur, ne sont jamais sortis d'une communauté de pionniers. Sans doute la forme littéraire la plus évoluée, le roman s'est manifesté tardivement au sein de chaque culture où il a paru. Il exige à la fois une grande connaissance de soi, une structure sociale différenciée, un public exigeant et plein de discernement, et une attention particulière quant à la technique[4].

Au cours du dix-neuvième siècle, des dizaines d'écrivains produisent des centaines d'oeuvres, dont très peu retiennent l'attention des critiques aujourd'hui. De façon générale, deux tendances distinctes se dessinent: d'une part le roman est moralisateur; d'autre part, il est historique ou social. La première oeuvre de fiction de la plume d'un Canadien anglais de naissance, publiée au Canada, tel qu'il était alors, *St. Urusula's Convent; or, The Nun of Canada* (1824) de Julia Catherine (Beckwith) Hart, appartient au deuxième groupe.

Au Canada français, le clergé s'opposa vivement au roman, car le roman, "c'est l'aventure, l'amour, et pour tout dire le péché. C'est la ville. Le roman, c'est le "présent"; un présent qu'on refuse de toutes ses forces, parce qu'il n'offre pas les assurances nécessaires à la création". Dans la préface de ses *Légendes* (1861), l'abbé Casgrain, qui voulait faire de la littérature, et surtout du roman, un instrument d'action patriotique et religieuse, précisa:

> ...il ne faut pas se le dissimuler, les écrits modernes, même les plus dangereux, sont plus en circulation parmi nos populations canadiennes qu'on ne le pense bien souvent.
>
> Où vont ces avalanches de livres de littérature française et autres qui viennent encombrer, chaque année, plusieurs librairies de nos grandes villes?
>
> Puisqu'il nous est impossible d'arrêter le torrent, hâtons-nous, du moins, de donner aux lettres canadiennes une saine impulsion, en exploitant surtout nos admirables traditions, et en les revêtant, autant que possible, d'une forme attrayante et originale[6].

En 1866, il affirma que "la littérature canadienne devait refuser l'exemple d'une littérature française qui s'égarait dans le réalisme moderne, manifestation de la pensée impie, matérialiste[7]". Ainsi, il incitait les écrivains à faire revivre les gloires du passé.

Au cours du dix-neuvième siècle, on peut distinguer le développement de trois sortes de romans, dont l'évolution se poursuit de manière assez semblable: le roman d'aventures, le roman historique, et le roman de la terre (ou roman de la fidélité)[8]. Quant au roman historique, il faut préciser qu'il pouvait très bien s'inspirer d'événements qui s'étaient déroulés à une époque assez rapprochée de la composition de l'histoire[9].

Si le Canada anglais ne produit que peu d'écrivains dont l'oeuvre ait quelque poids, malgré une production littéraire assez abondante, le bilan au Canada français n'est guère plus reluisant: les historiens et critiques sont généralement d'accord pour souligner l'importance d'un nombre restreint d'oeuvres, entre autres: *L'Influence d'un livre* (Philippe Aubert de Gaspé fils, 1837); *Charles Guérin* (Pierre Chauveau, 1846); *Les Anciens Canadiens* (Philippe Aubert de Gaspé père, 1863); *Une de perdue, deux de trouvées* (Georges de Boucherville, 1864); *Angéline de Montbrun* (Laure Conan, 1881).

En 1893, John Bourinot écrit dans *Our Intellectual Strength and Weakness*: "...si le Canada a produit des réalisations honorables dans le domaine de l'histoire, de la poésie et de l'essai..., il n'en demeure pas moins qu'il existe un domaine où les Canadiens ne se sont jamais distingués, en l'occurrence, celui du roman ou de l'histoire romanesque[10]". L'histoire romanesque au Canada anglais devait distraire son lecteur, en le mettant en présence d'un groupe de personnages bien dessinés (héros/héroïne: vilain/vilaine); en revanche, le roman offrait une gamme de personnages plus variés, et se penchait sur un plus grand nombre d'activités humaines, entre autres le conflit des générations ou l'épanouissement spirituel des protagonistes. Il avait une vocation plutôt didactique, soulignant quelque vérité reçue tout en sensibilisant le lecteur à la condition humaine. Jusqu'en 1880, quelque cent cinquante écrivains canadiens ont publié plus de deux cent cinquante volumes de fiction, dont les deux tiers sont de la plume de seulement cinq écrivains: James De Mille, Thomas Chandler Haliburton, Agnes Fleming, Susanna Moodie, Mary Anne Sadlier. Entre 1880 et 1920, environ quatre cents Canadiens ont fait paraître plus de mille quatre cents volumes de fiction; pendant la même période il y en avait seulement une soixantaine au Québec. Nous devons à Charles G.D. Roberts, Gilbert Parker, Robert Barr, James Oxley, Theodore Roberts et Margaret Marshall Saunders quelque deux cents oeuvres; quinze autres écrivains ont produit de neuf à vingt volumes chacun. Il faut signaler en passant que nombre d'oeuvres de fiction paraissaient dans des revues, sans jamais être éditées sous forme de livre. Parmi les quatre cents écrivains mentionnés plus haut, la moitié n'a donné qu'un ou deux livres.

À partir des années vingt de nouvelles orientations du roman se produisent au Québec et au Canada anglais. Entre 1900 et 1925, une cinquantaine de romans voient le jour au Québec, dont nous retenons, entre autres: *Marie Calumet* (Rodolphe Girard, 1904); *Maria Chapdelaine* (Louis Hémon, 1914); *La Scouine* (Albert Laberge, 1918: il s'agit du premier roman réaliste au Québec; d'ailleurs, ce roman ainsi que celui de Girard sont passés inaperçus en leur temps), et *l'Appel de la race* (Lionel Groulx, 1922)[11]. *Maria Chapdelaine*, qui devient un modèle à imiter, accentue les tendances régionalistes du roman québécois, et présente une vision idéalisée des valeurs terriennes. Le roman de la fidélité connaît ensuite une sorte d'apothéose avec *Menaud, maître-draveur* de Félix-Antoine Savard (1937), mais s'efface par la suite. Au cours des années vingt, "le roman se rapproche décisivement de la réalité: de sa propre réalité, comme oeuvre d'art et comme engagement personnel; et de la réalité sociale et spirituelle du milieu humain où il naît. Le roman se différencie, et se personnalise[12]".

En même temps que s'efface le roman du terroir, régionaliste par définition, s'annonce, dès la parution de *Trente arpents* de Ringuet

(1938), une nouvelle orientation: "le roman canadien-français échappe à ses frontières géographiques[13]". Gabrielle Roy, Ringuet, Roger Lemelin et Germaine Guèvremont seront les porte-étendard du nouveau mouvement. "La littérature atteint son stade sociologique et, avec Gabrielle Roy et Roger Lemelin, annexera soudain à son champ de vision, dans les années quarante, les drames et les péripéties de la vie urbaine. Après cette prise de conscience de la société, elle s'acheminera vers les labyrinthes psychologiques individuels[14]". Si le roman québécois authentique[15], axé sur une conception réaliste du milieu, plutôt que sur des valeurs terriennes démodées, ne naît qu'aux environs de 1925, il a connu depuis lors une évolution rapide. Ses artisans ont fait preuve d'un sens plus aigu du réalisme, ont mené une étude plus approfondie des moeurs des milieux sociaux urbains; le roman, dont les formes seront désormais, très souvent, inédites et exploratrices [16] et qui s'est cherché jusqu'au moment où le romancier trouve une voix authentiquement sienne, sera dorénavant un indice révélateur d'une société qui se cherche également.

Tout comme les Michel Butor, Nathalie Sarraute et Alain Robbe-Grillet, les Marie-Claire Blais, Jacques Godbout et Hubert Aquin écrivent un "nouveau roman". Toutefois, leur démarche n'est pas tout à fait celle de leurs contemporains français, car "les romanciers [québécois] cherchent non pas une façon inédite de recréer la réalité — préoccupation qui s'insère naturellement dans une ancienne et illustre tradition —, mais simplement une formule souple qui leur permette enfin de manifester leur tempérament[17]".

À la même époque que s'éclipse le régionalisme au Québec, le roman canadien subit une transformation analogue. Le réalisme, surtout le réalisme urbain, est très peu marqué jusqu'aux années quarante; c'est surtout chez les romanciers de l'Ouest canadien que l'on trouve des tentatives de présenter les conditions actuelles de la vie canadienne, au lieu d'une vision tout à fait idéalisée du passé et du présent. La colonisation de cette dernière frontière étant caractérisée par de grandes privations, par une vie très rude qui se distinguait nettement des modes de vie en Europe ou aux États-Unis, on pouvait difficilement l'idéaliser. C'est grâce à Martha Ostenso, Robert J.C. Stead et Frederick Philip Grove[18] que s'est opérée la transformation du romantisme vers le réalisme.

Dans un article intitulé "*Letters in Canada*: 1940", J.R. MacGillivray a porté le jugement suivant sur l'ensemble de la fiction canadienne de cette année-là:

> À quelques rares exceptions près, il n'y a aucune étude d'imagi-

> nation de la vie et de la société canadienne, aucun regard vers le monde extérieur, aucun intérêt manifesté envers la fiction en tant qu'art, aucune sensibilité apparente aux idées et aux événements, mais plutôt un parfait isolement dans le temps et l'espace... Où trouverait-on l'équivalent de la tour d'ivoire impénétrable au son, sans fenêtres, climatisée et à l'épreuve des bombes, dans laquelle ces romanciers tapent sur leurs machines à écrire, sans être nullement dérangés par le cataclysme extérieur[19]?

Entre 1920 et 1940, la littérature est donc toujours un moyen d'évasion au Canada anglais; pendant cette période sept cents romans voient le jour, comparativement à plus de deux cents au Québec, dont un grand nombre sont du genre policier et d'aventures (le lieu de prédilection de ces derniers étant surtout le Grand Nord, parmi les Esquimaux). L'idylle régionale à la Mazo de la Roche, de même que le roman historique, dont le lieu de l'intrigue se situe souvent en dehors du Canada, connaissent une grande popularité. Il est intéressant de noter que la Nouvelle-France exerce toujours une fascination particulière auprès des romanciers canadiens: Desmond Pacey suggère que cette fascination repose sur un sentiment de culpabilité latent vis-à-vis de la Conquête et aussi, sur le contraste (imaginé par les romanciers) entre la vie relativement terne du Canada anglais et celle de la Nouvelle-France sous l'Ancien régime, haute en couleurs et débordante de joie de vivre[20]. En revanche, le Canada anglais sert très rarement de toile de fond aux romanciers québécois de la même époque.

Déjà au cours des années trente, le réalisme qui caractérise le roman des prairies se manifeste de moins en moins, car la colonisation de l'Ouest est alors un fait accompli; désormais, le réalisme rural et urbain dans le roman canadien sera un phénomène sporadique.

Si le roman québécois depuis la Deuxième Guerre mondiale se diversifie et se distingue des formes du passé, pour devenir le roman de l'aventure personnelle et le roman-passion[21], le roman canadien sera marqué d'une certaine continuité quant aux formes: le roman policier, le roman historique et le récit contemporain ayant lieu aux quatre coins du monde étant toujours à la mode. Le roman de la découverte de soi se manifestera seulement à partir des années soixante, et c'est à partir des années soixante-dix seulement que la narration linéaire fera place à des formes plus complexes.

Le roman, au Québec et au Canada, fut pendant longtemps un genre marginal à l'intérieur d'un ensemble d'activités littéraires pour le moins marginales. Il a souvent servi à véhiculer des valeurs morales et des idéologies reçues au Québec; au Canada anglais, il n'était souvent qu'un moyen d'évasion pour un vaste public avide de belles histoires. Au début de notre siècle s'opéra une série de transformations fondamentales au sein des deux collectivités qui devaient influer de façon déterminante sur l'évolution du roman. La société québécoise s'industrialise, se transforme radicalement; les romanciers ne sont pas indifférents à ces changements, et à leurs conséquences. L'Ouest canadien s'ouvre à la colonisation, et les romanciers nous rappellent, avec force images, que toutes les frontières du territoire n'ont pas encore été conquises. Au Québec, la vie urbaine, en constante ébullition, attire enfin l'attention de romanciers depuis très longtemps occupés à chanter les louanges d'une vie terrienne érigée en idéal. Il existe tout un gouffre entre l'idéalisme de certains écrits et les dures réalités que traverse alors la collectivité: il faudra attendre que quelques esprits éclairés montrent le chemin; par la suite, il n'y aura plus guère de retour en arrière possible.

Les romanciers sont des révélateurs[22]: le roman, tant au Québec qu'au Canada anglais, se cherche et se trouve; il s'écrira désormais moins au passé qu'au présent; il s'écrira toujours ici et ailleurs. Les Québécois et les Canadiens commencent à se reconnaître à travers leur roman, prise de conscience qui ne se fera pas sans heurts. Si la poésie a pendant longtemps canalisé les énergies littéraires dans les deux cultures, le roman s'impose indéniablement comme genre de premier plan depuis une vingtaine d'années. L'oeuvre de génie, le classique que nous attendons impatiemment paraîtra peut-être un jour; en attendant, il importe moins de savoir de quel côté et à quel moment viendra cette oeuvre, que de savoir comment le roman a pu devenir genre autonome dans deux sociétés où société et littérature ont connu une marginalité incontestable pendant longtemps.

Nous reconnaissons volontiers aujourd'hui la valeur de notre littérature, comme révélation indispensable de nous-mêmes, quelles que soient ses limitations et ses faiblesses, et quelle que soit son envergure dans une perspective mondiale. Si, comme le prétend Clément Moisan, nous avons atteint "l'âge de la littérature canadienne[23]" (par cela nous entendons les littératures québécoise et canadienne), il importe moins de savoir l'heure exacte de sa maturité, que de savoir comment, à travers deux sociétés à la fois semblables et dissemblables, elle y est parvenue.

Ce survol rapide de l'évolution du roman québécois et canadien, qui ne se prétend nullement exhaustif, est destiné à nous permettre de mieux situer l'originalité et l'ampleur de l'oeuvre romanesque de Gabrielle Roy et de Margaret Laurence. Comme nous le verrons plus loin, l'apport de ces deux romancières manitobaines dans leurs littératures respectives, est assez remarquable. Avant d'entrer dans le détail, il serait utile d'évoquer brièvement quelques éléments biographiques de l'enfance et la jeunesse de Roy et de Laurence.

Gabrielle Roy et Margaret Laurence, romancières manitobaines

Entre 1840 et 1867 environ quarante mille Canadiens français quittèrent le pays pour les États-Unis. Afin d'empêcher cette hémorragie, le clergé se fit le promoteur de nombreux projets de colonisation au Québec et dans l'Ouest canadien. Les vagues d'immigrants se succédèrent, et les francophones s'installèrent un peu partout dans l'Ouest sans pourtant franchir les Rocheuses. Ainsi, vers 1870, ils comptaient pour la moitié de la population du Manitoba; vingt ans plus tard, ils seraient moins de dix pour cent.

Lorsque Gabrielle Roy y est née en 1909, Saint-Boniface constituait, et constitue encore de nos jours, "le plus important foyer de rayonnement du français dans l'Ouest[24]". La fragile collectivité francophone, fortement empreinte de la mission apostolique que lui confiait le clergé, sera profondément secouée à plusieurs reprises au long de son histoire. La condamnation à mort de Louis Riel, fils d'un Métis et d'une Canadienne française, en 1885, souleva une vive agitation au Québec et ailleurs; longtemps après, on se souviendrait qu'il a été condamné par un jury et un juge anglais. En 1890, le gouvernement libéral de Thomas Greenway, sous prétexte que le système scolaire catholique représente un fardeau fiscal trop onéreux pour l'État, l'abolit. Les tentatives de la part des francophones pour se défendre, auprès de Macdonald, de la Cour Suprême, du Conseil privé de Londres, à deux reprises, échouèrent. Grâce au compromis Laurier-Greenway survenu en 1897, le système scolaire demeura neutre; toutefois, les Franco-Manitobains devaient faire preuve de grande ingéniosité par la suite afin de conserver leur langue. Les héritiers des premiers colons vivaient donc de plus en plus repliés sur eux-mêmes: de majoritaires qu'ils étaient jadis, ils sont devenus rapidement minoritaires, en raison des vagues d'immigrants européens qui colonisaient l'Ouest.

Enfant, Gabrielle Roy vit "sous le signe de la paix et de la sécurité dans la société manitobaine dont l'évolution lente et presque sans heurts ressemblait à celle du Québec de la même époque[25]". Elle fut marquée par "la présence d'un passé de douceur, attestée par des récits, des souvenirs et aussi par la solide assise d'un ordre social et moral éprouvé[26]". Dernière née d'une famille qui comptait onze enfants, Gabrielle Roy était, en quelque sorte, enfant unique, vu le grand écart qui la séparait de son frère Germain, âgé déjà de huit ans lors de sa naissance, et se sentait souvent seule. Lorsqu'elle a quatre ans, son père perd son emploi d'agent de colonisation pour une histoire d'allégeance politique, bien qu'il soit à six mois de sa retraite. Profondément marqué par cet événement, il s'est vite transformé en homme morose et distant. Cette transformation devait marquer la jeune Gabrielle, déjà très sensible à sa grande solitude, exacerbée désormais par l'éloignement de son père. Tout au long de sa jeunesse, Gabrielle Roy est sensible à l'appel insistant vers l'inconnu que lui lancent l'immense ciel et le lointain horizon du Manitoba.

Enfant, Margaret Laurence éprouve, elle aussi, des sentiments partagés vis-à-vis des prairies. Elle ressent assez jeune le besoin de quitter son village natal, Neepawa, où elle est née en 1926, mais reste sensible au sentiment de sécurité que lui procure son milieu. Ses ancêtres, tout comme ceux de Gabrielle Roy, étaient des pionniers. "Être pionnier, c'est aussi être exilé de son passé et les parents de Gabrielle Roy, surtout sa mère, gardent la nostalgie du Québec[27]". Ceux de Margaret Laurence gardent la nostalgie d'une Écosse lointaine. L'ordre social éprouvé, bien hiérarchisé de Saint-Boniface trouve donc sa réplique dans un Neepawa très marqué par les valeurs protestantes: frugalité, dur labeur, obéissance au Dieu puritain. Orpheline de mère à l'âge de quatre ans, orpheline de père six ans plus tard, Margaret Laurence vit dans une grande solitude durant son enfance. Adolescente, elle se met à écrire pour oublier un peu la perte de sa mère; d'ailleurs, sa belle-mère l'encourage beaucoup dans ses entreprises littéraires. Lorsqu'elle quitte Neepawa en 1943 pour faire ses études au *United College* à Winnipeg, elle a déjà la conviction qu'elle deviendra écrivain. Comme nous le verrons plus loin, cette première rupture avec son passé semble être une étape indispensable dans son évolution comme écrivain; Gabrielle Roy suivra un cheminement tout à fait semblable lorsqu'elle quittera le Manitoba pour l'Europe.

Dans cette étude très rapide de l'enfance et de la jeunesse de Roy et de Laurence, nous cherchons à évoquer certaines correspondances marquantes dans leurs vies au sein de deux communautés bien distinctes, mais à certains égards semblables. De cette période nous retenons surtout l'idée de solitude qui semble marquer les deux écrivains en germe, solitude liée non seulement à l'enfance et à la situation familiale, mais aussi aux grands espaces du décor manitobain.

La parution en 1945 de *Bonheur d'occasion* est un moment privilégié dans l'histoire de la littérature québécoise: le long chapitre du roman du terroir s'achève alors que s'ouvre un nouveau chapitre qui sera consacré au roman de la ville. Ce "nouveau roman", ce "roman nouveau" ne célébrera pas la ville comme ont chanté les campagnes les romans précédents, mais fera plutôt connaître le milieu urbain et toutes les rudes épreuves qu'il a suscitées chez les citadins: difficulté de vivre, difficulté d'être, difficulté de communiquer. Gabrielle Roy indique de manière décisive un nouveau chemin à suivre, geste qui ne laissera pas indifférents ses contemporains. "Quel romancier de cette génération a mieux vu et exprimé le Québec que l'auteur de *Bonheur d'occasion* et d'*Alexandre Chenevert*? Lequel aussi a mieux représenté la littérature québécoise que cet écrivain internationalement connu, traduit en huit langues et étudié dans les écoles d'au moins une quinzaine de pays[28]"? Le roman québécois moderne naît vers 1925, et atteint une sorte de maturité précoce grâce à l'oeuvre de Gabrielle Roy, à partir de 1945.

Le roman canadien, toujours à la recherche de lui-même au début des années soixante, atteindra une maturité analogue grâce à Margaret Laurence: toute la décennie sera fortement marquée par son oeuvre. Si le roman, en tant que manifestation singulière de la culture canadienne n'était toujours qu'une éventualité, toujours *possible* à l'époque où s'élabore l'oeuvre romanesque de Laurence, il deviendra, grâce à elle, une réussite incontestable au cours des années soixante-dix[29]. Les années soixante au Canada anglais sont la décennie de Margaret Laurence[30].

L'oeuvre de Gabrielle Roy a été systématiquement traduite et a exercé une grande influence au Canada anglais, à un point tel que certains critiques canadiens se complaisent toujours à parler d'elle comme d'une romancière "canadienne", bien qu'elle "a[it] revendiqué hautement sa qualité de Québécoise, son appartenance et même, après [plus de] trente ans de vie au Québec, son enracinement au pays[31]". En revanche, l'oeuvre romanesque de Margaret Laurence est nettement moins bien connu au Québec; on constate un décalage considérable entre la parution de ses romans en anglais, et l'édition des quelques rares traductions.

Avant d'examiner de plus près les débuts de l'écriture et de l'oeuvre romanesque chez Roy et Laurence, rappelons que toutes deux ont utilisé une multiplicité de genres littéraires. Sans oublier une soixantaine de reportages, dont certains à caractère technique, d'autres empreints d'un mélange de réalité et de fiction, Gabrielle Roy a donné des romans, des récits, des nouvelles, des essais, et des livres pour enfants. La production globale de Margaret Laurence comprend des romans, des nouvelles, des essais, des ouvrages de critique littéraire, des traductions de poèmes somaliens, des chroniques de voyage, et des livres pour enfants.

---

1 Northrop Frye, *The Bush Garden: Essays on the Canadian Imagination* (Toronto: Anansi, 1971), p. 135.

2 Gilles Marcotte, *Une littérature qui se fait* (Montréal: HMH, 1968), p. 12.

3 Voir à ce sujet *Les Anciens Canadiens* de Philippe Aubert de Gaspé père (1863); à Joseph Marmette, qui se servira systématiquement de l'*Histoire du Canada*, nous devons *François de Bienville* (1870), *l'Intendant Bigot* (1872), et *Le Chevalier de Mornac* (1873).

4 Fred Cogswell, "*The Maritime Provinces 1815-1880*", *Literary History of Canada*, Ed. Carl F. Klinck (Toronto: Univ. of Toronto Press, 1976), 1:123.
No pioneer community has ever produced a major novelist or a major novel. Perhaps the most sophisticated of all literary forms, the novel has been a late-flowering expression of every culture in which it has appeared. It demands a maximum of self-awareness, a differentiated social structure, a demanding and discriminating audience, and a professional attention to technique.

5 Marcotte, *op. cit.*, p. 12.

6 Cité par David M. Hayne, "Les origines du roman canadien-français", *Archives des lettres canadiennes, Tome 3, Le Roman*, pp. 66-67.

7 *Ibid.*, p. 67.

8 Voir Henri Tuchmaïer, "Évolution de la technique du roman canadien-français", thèse de doctorat, Université Laval, 1958. Le roman de la fidélité a deux points de repère essentiels: *La terre paternelle* de Patrice Lacombe (1846) et *Le survenant* de Germaine Guèvremont (1945).

9 *L'influence d'un livre* s'inspire d'événements qui ont eu lieu près de Saint-Jean-Port-Joli vers 1829; le terme "historique" signifierait plutôt "conforme aux faits." (voir l'article de Hayne mentionné plus haut).

10 Cité par Gordon Roper, "*New Faces: New Fiction 1880-1920*", *Literary History of Canada*, 1:274. ...if Canada can point to some creditable achievement in history, poetry, and essay writing...there is one respect in which Canadians have never won any marked success, and that is in the novel or romance.

11 Paul Wyzcynski, "Panorama du roman canadien-français", *ALC*, 3:16.

12 Marcotte, *op. cit.*, p. 23.

13 *Ibid.*, p. 34.

14 Jean-Charles Falardeau, *Notre société et son roman* (Montréal: HMH, 1972), p. 52.

15 *Id.*, *Imaginaire social et littérature* (Montréal: HMH, 1974), p. 34.

16 *Ibid.*

17 Gérard Tougas, *Histoire de la littérature canadienne-française* (Paris: PUF, 1967), p. 197.

18 Entre 1922 et 1947, Grove produit douze volumes, dont trois volumes d'essais, son autobiographie, et huit romans; ses romans n'ont pas été publiés selon la chronologie de leur composition; pour certains, il serait le premier romancier réaliste en Amérique du Nord, ayant devancé d'autres écrivains comme Theodore Dreiser.

19 Cité par Hugo McPherson, "*Fiction 1940-60*", *Literary History of Canada*, 2:207. *There has been, with only trifling exception, no imaginative study of our Canadian life and society, no looking out upon the world, no interest in fiction as a fine art, no apparent awareness of ideas and events, but a perfect isolation from place and time... Where else is there the equal to that ivory tower, soundproof, windowless, air-conditioned, and bombproof, in which these novelists tap at their typewriters undisturbed by the falling heavens?*

20 Desmond Pacey, "*Fiction 1920-1940*", *LHC*, 2:172-73.

21 Falardeau, *Imaginaire social et littérature*, p. 33.

22 *Id.*, *Notre société et son roman*, p. 8.

23 Clément Moisan, *L'Âge de la littérature canadienne* (Montréal: HMH, 1969).

24 Marc Gagné, *Visages de Gabrielle Roy* (Montréal: Beauchemin, 1973), p. 25.

25 *Ibid.*, p. 10.

26 Gabrielle Roy, "Souvenirs du Manitoba", *La Revue de Paris*, Février 1955, 77.

27 Monique Genuist, *La Création romanesque chez Gabrielle Roy* (Ottawa: le Cercle du Livre de France, 1966), p. 15.

28 François Ricard, *Gabrielle Roy* (Montréal: Fides, 1975), p. 20.

29 John Moss, *Sex and Violence in the Canadian Novel* (Toronto: McClelland & Stewart, 1977), p. 23.

30 William H. New, "*Fiction*", *Literary History of Canada: Canadian Literature in English*, Ed. Carl F. Klinck (Toronto: University of Toronto Press), 3:234.

31 François Ricard, *op. cit.*, p. 20.

CHAPITRE II

EXIL ET APPRENTISSAGE

...il faut parfois quitter un pays pour savoir qu'on y a été heureux.

Gabrielle Roy[1]

One can never be a stranger in one's own land — it is precisely this fact which makes it so difficult to live there.

Margaret Laurence[2]

Il est frappant de constater à quel point les cheminements respectifs de Gabrielle Roy et de Margaret Laurence vers la création romanesque sont semblables. Le roman n'est ni pour l'une ni pour l'autre la première expérience d'écriture; ni l'une ni l'autre n'a écrit tout à fait spontanément non plus son premier roman. Au contraire, ce premier jalon s'est pendant longtemps préparé: dans un premier temps par l'exil de l'univers manitobain; dans un deuxième temps par un long apprentissage de l'écriture, et une longue méditation aboutissant à la cristallisation d'une vision particulière de l'humanité. Le thème de l'exil se manifestera, d'ailleurs, à maintes reprises dans l'oeuvre romanesque de Roy et de Laurence. En examinant attentivement la question de l'exil et de l'apprentissage, il nous sera possible de mieux saisir dans quelle mesure la création romanesque en est l'aboutissement logique.

Après ses études à l'Académie Saint-Joseph de Saint-Boniface, Gabrielle Roy obtient, en 1929, son diplôme d'institutrice à la *Winnipeg Normal School*. Par la suite, elle enseignera à Marchand, à Cardinal et à l'Institut Provencher. En 1937, après avoir enseigné pendant l'été à la Petite-Poule-d'Eau, elle quitte le Manitoba et se rend en Europe. Pendant six mois elle suit des cours d'art dramatique à la Guildhall School of Music and Drama à Londres. Elle faisait déjà du théâtre avec la troupe du *Cercle Molière* à Saint-Boniface. Elle abandonne alors son projet de se consacrer sérieusement au théâtre, et parcourt l'Europe, séjournant et se promenant un peu partout en France et en Angleterre. À cette époque, des articles sur ses expériences de voyage paraissent dans *La Liberté* de Saint-Boniface et dans *le Devoir*. L'hebdomadaire parisien *Je suis partout* accepte six articles sur le Canada, et son accueil sera déterminant dans l'orientation des projets de Gabrielle Roy:

> Cette publication me fit prendre conscience, je crois bien, de ma vocation d'écrivain. Songer que pour une petite Canadienne, venue du lointain Manitoba, c'était là un puissant encouragement, un merveilleux stimulant! L'accueil de l'hebdomadaire parisien me donna en moi-même la confiance qu'il me fallait pour continuer d'écrire... Cette fois, je renonçai pour de bon à l'art dramatique[3 & 33].

À court d'argent et de moins en moins à l'aise dans une Europe sur laquelle plane la menace de la guerre, Gabrielle Roy décide, en 1939, de retourner au Canada, et s'installe à Montréal.

Son projet d'écrire prend forme et se réalise: en 1939 et 1940, *le Jour*, dirigé par Jean-Charles Harvey, publie une trentaine de ses textes; en outre, à partir de 1939, *la Revue moderne* publie sa première nouvelle: "La conversion des O'Connor". En deux ans, elle fera paraître onze autres nouvelles. Destinées surtout à divertir les lecteurs de la revue, ces nouvelles traitent de sujets humoristiques ou sentimentaux; après 1942, Gabrielle Roy ne pratiquera plus guère ce style d'écriture.

Entre 1940 et 1945, elle réalise de nombreux reportages au *Bulletin des agriculteurs*, après y avoir débuté comme auteur de nouvelles, en 1941, dans une série de quatre longs articles intitulée "Tout Montréal", elle brosse un tableau "vivant et détaillé de la vie métropolitaine[4]". L'intérêt que porte la journaliste à l'environnement urbain et sa façon de saisir la réalité contemporaine, sont d'une importance primordiale:

> Ces textes marquent un tournant. Ils résumeraient d'ailleurs à eux seuls le sens qu'il faut attribuer à l'ensemble des reportages publiés par Gabrielle Roy au *Bulletin des agriculteurs*, et qui est celui d'une sorte de conversion à la réalité, d'où sortira éventuellement *Bonheur d'occasion*, commencé du reste à cette époque. Par ses reportages, Gabrielle Roy apprend le poids des choses:

> elle découvre l'épaisseur et la gravité du quotidien en même temps que sa poésie[5].

L'ensemble de la production journalistique de Gabrielle Roy révèle un certain nombre de préoccupations qui ne pourront manquer d'influer sur son art lorsqu'elle abandonnera le journalisme pour le roman. Journaliste, elle n'hésite point à vivre diverses aventures afin de mieux saisir, et de mieux rendre auprès de ses lecteurs, l'actualité au Québec et ailleurs. Ainsi, elle partagera la vie des colons en Abitibi, visitera les usines, les mines et les forêts dont elle parlera. Elle se déplacera, toujours seule, que ce soit au Québec ou dans l'Ouest canadien, afin de capter avec justesse l'atmosphère des agglomérations urbaines, des villages, ou bien pour décrire dans les moindres détails la vie des hommes de métier. L'industrialisation du Québec, conçue par Gabrielle Roy comme un véritable salut pour un peuple agraire et, dans une certaine mesure, anachronique, n'était pas sans conséquences fâcheuses, conséquences auxquelles la journaliste était très sensible. L'industrialisation entraînait forcément la désertion des campagnes, et simultanément la prolétarisation des villes; ce n'est pas sans regret qu'elle note, à travers ses articles, le dépeuplement de la terre, sans pour autant chercher à idéaliser la vie rurale. C'est en examinant les multiples facettes d'une sorte d'évolution accélérée au Québec qu'elle arrive à situer le conflit fondamental entre le passé et l'avenir, conflit dont nous trouverons à plusieurs reprises l'écho dans ses romans.

La vision sociale de Gabrielle Roy est marquée, selon Marc Gagné, "par son réalisme, son globalisme et son optimisme[6]". C'est surtout dans une série de sept reportages intitulée "Peuples du Canada", parus dans *le Bulletin des agriculteurs* entre novembre 1942 et mai 1944, que nous trouvons de nombreuses révélations de cette vision sociale.

Six des sept reportages portent sur des colonies d'immigrants qui se sont établis dans l'Ouest canadien: ce sont tous des êtres exilés, certains par suite de la persécution religieuse; tous sont déracinés d'une façon ou d'une autre. Bien que certains habitent très près des centres urbains, tels les Huttérites, ils sont largement méconnus; d'autres, tels les Doukhobors, s'étant attiré une certaine notoriété dans l'esprit des gens, sont souvent l'objet de préjugés sans qu'on connaisse bien leur histoire.

Or, c'est en véritable étrangère que Gabrielle Roy s'est promenée parmi les Huttérites, les Doukhobors, les Mennonites, les Juifs défricheurs, les Sudètes et les Ukrainiens, pour les découvrir, pour les connaître parfois dans l'intimité, et pour les faire connaître, sans jamais les condamner, se permettant tout au plus quelques commentaires ironiques à l'endroit de tel ou tel groupe.

Différents aspects de la vie des diverses communautés attirent son attention au fur et à mesure de son périple dans l'Ouest. Chez les Huttérites, elle est frappée de la "paix chaude et imprévue[7]" de leur village; en y pénétrant elle a la sensation de se plonger "dans l'inconnu[8]". Ici, comme ailleurs, elle s'intéresse à tout: à la vie quotidienne des gens, à leur histoire, et au chemin qu'ils ont dû parcourir pour parvenir à l'Ouest canadien, ainsi qu'à leur manière de s'y intégrer. Elle est particulièrement sensible à la profonde fraternité qui semble régner chez les Huttérites, dans une communauté où elle ne voit "ni haine, ni mortel dégoût, ni affreuse lutte pour la survivance[9]". L'inquiétude qu'éveille chez elle l'éventuel affrontement entre les valeurs traditionnelles et l'époque moderne rappelle son inquiétude devant le Québec à l'heure de l'industrialisation.

Les Doukhobors et les Mennonites sont associés à des souvenirs d'enfance dans l'esprit de Gabrielle Roy[10], et elle porte une attention particulière à ces deux peuples, racontant en détail l'histoire de l'un et l'autre. C'est surtout dans ces deux portraits qu'elle semble s'intéresser particulièrement à la condition féminine: non seulement les femmes semblent-elles incarner toutes les joies et tous les espoirs des leurs, mais elles semblent aussi porter un fardeau assez lourd, et ce depuis leur arrivée au Canada:

> ...il fallait défricher et labourer la terre neuve. Les femmes de ces gens-là eurent une espèce de courage surhumain. Il n'y avait point de chevaux, point de boeufs; eh bien, ce seraient elles-mêmes qui tireraient la charrue à travers les champs d'abattis".

Chez les Mennonites, la femme "ne sort de sa soumission que pour traduire l'hospitalité, économe et silencieuse en tout[12]". Enfant, Gabrielle Roy se promenait parfois en bateau avec sa mère au long de la rivière Rouge; de ces promenades elle retient une image saisissante de la Mennonite:

> Elle était à toutes les besognes, cette femme-là. Elle semait le grain à poignée, au printemps. Elle sarclait et arrosait le jardin, l'été. À l'automne, elle récoltait les pommes de terre. Elle était si souvent penchée sur la terre brune que rarement la voyait-on se redresser tout à fait.
>
> Elle allait quelquefois à la ville, à pied, par un chemin

> poussiéreux, avec de gros paniers de légumes au bras. Elle en revenait, la main serrée sous son châle et ne la desserrait, au retour, que pour laisser tomber dans celle du maître jusqu'au dernier sou de ses recettes.
>
> Elle élevait une famille nombreuse. Elle portait son enfant pendant les semences, pendant les labours, à la fenaison, dans les lourdes chaleurs des récoltes; souvent elle lui donnait le jour aux champs entre deux besognes pressantes. Elle n'avait qu'une joie, celle de voir jouer sa petite fille blonde et de se dire: "Celle-là aura moins de peine que moi."[13].

Même à l'époque où elle leur rend visite, la journaliste voit que le sort des femmes ne s'est guère amélioré:

> À ce village de New Anlage, les femmes fabriquent de tout; et ce n'est pas un village pauvre; il est plutôt dans l'aisance. Mais comment cesseraient-elles de travailler, ces femmes qui n'ont jamais appris à se distraire? Autrefois, pour recouvrir les poutres équarries de leur maison, elles mêlaient du fumier, du sable et de la boue qu'elles tassaient de leurs pieds nus. Les maisons de bois, souvent élégantes, ne demandent plus cette corvée. Mais les femmes n'ont pas cessé d'en sortir dès l'aube, les cheveux cachés sous un bout d'indienne colorée, et de courir au travail. Elles ont, derrière leur logis, des petites cabanes d'été où elles s'enferment pour les gros travaux du ménage: ... La maison, c'est pour le repos, pour la détente; le maître en entrant n'y trouve qu'un calme frais et une ménagère qui a eu le temps de poser la soupe sur la table[14].

Son portrait des Mennonites, axé essentiellement sur la condition féminine, se termine sur une note quelque peu sombre lorsque Gabrielle Roy parle du "courage de ces femmes[15]" et de "leur tenace souci d'être toujours à la peine, à la besogne, au devoir[16]".

Tout autre est l'atmosphère de "L'Avenue Palestine": en se rendant à Edenberg chez les Juifs défricheurs, Gabrielle Roy découvre la paix et le bonheur chez des gens simples et accueillants, dont la vie familiale est particulièrement harmonieuse. Chez les Goldsberg, elle découvre une générosité sans bornes.

Le ton généralement mesuré et sérieux de la plupart des reportages fait place carrément à l'humour dans "Les Sudètes de *Good Soil*". Après avoir évoqué, non sans ironie, la nostalgie des Haeckl pour leur Tchécoslovaquie lointaine, et leur maison qui a l'air, "comme par miracle, de se souvenir d'un pays qu'elle n'avait jamais vu[17]", l'auteur se livre à une analyse souvent amusante des moeurs des immigrés sudètes, surtout en ce qui concerne leur attachement aux animaux.

> Ils seraient plus à l'aise, je pense, sur de petites fermes comme en Tchécoslovaquie que sur leur quart de section. Ils disent: "J'ai défriché deux acres" comme on dirait: "J'ai ouvert à moi tout seul le Témiscamingue." Ce n'est pas à eux que le gouvernement aura à recommander de réduire la production de blé. Quand ils en ont sept ou huit acres, ils se rengorgent, ils prennent des allures de gros propriétaires terriens, ils se croisent les bras et vous déclarent: "J'ai énormément de blé." Mais jamais ils ne parlent ainsi sans frémir un peu, comme s'ils venaient d'avouer: "J'ai du bonheur", et craignaient par là d'irriter les dieux[18].

La gravité de certains récits de Gabrielle Roy, romancière, ne laissera que peu de place à l'humour, exception faite surtout de ses souvenirs d'enfance et de quelques portraits d'enfants[19]. Ayant constaté cette sobriété, nous ne cherchons nullement à nier un sens de l'humour inné et spontané chez la journaliste, qui se laisse très volontiers emporter par la tragique mort de la vache des Haeckl:

> Ils avaient tellement parlé de cette vache défunte que j'en entendis parler à mon tour partout où j'allai, et dans les termes les plus déférents, les plus empreints de grave sympathie. Même à Saskatoon, dans les bureaux de la colonisation, on me dit:
>
> — Vous ne savez pas, il est arrivé un grand malheur: la bonne vache des Haeckl est morte!
>
> À Loon Lake, de son petit cottage où elle vivait pendant l'été en véritable ermite, ne lisant même pas les journaux pour mieux se reposer, Mme Sinclair [femme du chef du service de la colonisation en Saskatchewan] me confia tout de suite, dès mon arrivée:
>
> — Vous venez de chez les Sudètes. Alors vous devez être au courant: c'est bien triste, hein, la vache des Haeckl qui est morte. Une vache si ponctuelle![20].

Chez les Ukrainiens Gabrielle Roy remarque la même nostalgie de la patrie qu'éprouvent les Sudètes, comme en témoigne l'apport de diverses traditions dans la vie de tous les jours. Dans "Les pêcheurs de Gaspésie" elle s'applique à décrire des gens de métier qui éprouvent "la sensation d'accomplir une tâche qui nourrissait le monde, enrichissait l'amitié[21]", et chez qui elle constate une certaine harmonie entre la vie traditionnelle et les apports du progrès.

Le voyage, et par extension, l'exil, suscitent parfois des révélations tantôt surprenantes, tantôt troublantes, chez les écrivains, car "le voyage ne se borne jamais à un simple déplacement dans l'espace: c'est davantage l'expression d'un désir ardent de découverte et de changement... Essentiellement, voyager, c'est chercher[22]".

Entre 1950 et 1952, Margaret Laurence vit en Somalie britannique où son mari, ingénieur, est chargé par le *Colonial Office* de réaliser une série de barrages dans ce pays frappé par de longues périodes de sécheresse. Le départ du Manitoba et ce premier de plusieurs séjours à l'étranger constituent aussi pour Margaret Laurence un exil, d'autant plus qu'elle ne s'installe pas dans un pays qui a de fortes attaches culturelles ou historiques avec le sien. En revanche, en se rendant en Europe, Gabrielle Roy réalise un rêve très cher à de nombreux Canadiens français. Il est essentiel de souligner l'esprit dans lequel Margaret Laurence entreprend son séjour en Afrique:

> Chaque voyageur arrive dans un nouveau pays avec des préjugés. N'étant point spécialiste de la littérature arabe ni d'autres matières non plus, je ne pouvais me faire d'idée sur les Somaliens, comment je les trouverais, comment ils devraient être. Mon parti pris était autre. Je croyais que la vaste majorité des Anglais dans les colonies pouvaient être qualifiés d'impérialistes, et j'étais tout simplement contre l'impérialisme. Étant originaire d'une ancienne colonie qui, d'après certains, manifestait toujours une mentalité coloniale, je m'offensais vite, comme nombre de mes concitoyens, de ces Anglais qui croyaient que Dieu même les avait faits supérieurs au commun des mortels[23].

Dans *The Prophet's Camel Bell*, publié en 1963, Margaret Laurence décrira ses expériences, le travail de son mari, les gens, Somaliens et étrangers, qui les entourent, et les conditions parfois très difficiles de leur existence. Conçu essentiellement comme un journal intime, l'ouvrage n'est pourtant pas structuré selon une chronologie précise, ni encombré de dates et d'autres précisions temporelles. Les portraits des Somaliens, des Anglais et des Italiens que nous dessine Margaret Laurence nous rappellent, de manière frappante, par les détails et la perception pénétrante de l'auteur, la perception des peuples qui ont colonisé l'Ouest canadien, chez Gabrielle Roy.

En écrivant cette chronique remarquable, Margaret Laurence est très consciente du gouffre qui sépare sa culture et ses attitudes (qui sont manifestement déterminées par la culture) de celles des Somaliens. Si sa propre vision du monde repose sur la science, celle des Somaliens repose sur la foi; la culture occidentale croit à la technologie; les Somaliens croient au rite. La signification particulière que revêt ce séjour est bien soulignée par l'auteur au début du journal:

> Excité par le voyage en perspective, il ne vous viendrait peut-être pas à l'esprit de songer que la vision momentanée la plus étrange que vous aurez à l'étranger sera celle de vous-même.
>
> Notre voyage a débuté il y a quelques années. À quel moment peut-on dire qu'un voyage prend fin? Probablement lorsque vous atteignez votre destination. Mais il arrive parfois que votre destination ne soit pas celle que vous attendiez[24].

L'artisanat est presque inexistant en Somalie. Le pays étant essentiellement aride et désert, les matériaux nécessaires manquent, selon Laurence. En revanche, il existe une littérature orale florissante, divertissement indispensable pour un peuple de nomades devant faire face à une vie on ne peut plus rude. Entre 1950 et 1952, Margaret Laurence, s'étant très vite intéressée à la littérature somalienne, a recueilli et traduit (ou paraphrasé) des poèmes et des contes du pays. *A Tree for Poverty*, publié en 1954, représente la première tentative de noter par écrit et de traduire cette littérature; il représente également la première oeuvre publiée de l'auteur. Le recueil comprend dix sortes de poèmes, de même que des contes somaliens et arabes. Le titre du recueil est tiré d'un *gabei*: "*On the plain Ban-Aul there is a tree/For poverty to shelter under*[25]".

Les dix nouvelles qui composent *The Tomorrow-Tamer* ont été publiées entre 1956 et 1963, année de parution du recueil. La première nouvelle, "*The Drummer of All the World*" a paru dans *Queen's Quarterly*, les autres dans divers revues et magazines. Les Laurence avaient alors quitté la Somalie en 1952 pour s'installer en Côte d'Or (qui allait devenir le Ghana lors de son indépendance en 1957).

Les nouvelles présentent différents personnages et situations, mais sont unies par un même thème: la disparition des valeurs anciennes et l'émergence d'une Afrique nouvelle. Les bouleversements et transformations que subissent les Africains ne sont pas sans susciter de grands dilemmes: certains d'entre eux, ayant abandonné les valeurs anciennes, ne peuvent plus les retrouver, sans avoir encore, pourtant, le sentiment de participer pleinement à l'Afrique du vingtième siècle. De nouveau,

Margaret Laurence nous surprend par sa grande sensibilité et sa profonde compréhension de l'extrême complexité de la vie des Africains sur le point d'obtenir leur indépendance, mais chez qui la période coloniale a laissé des traces ineffaçables. En lisant ces nouvelles, le lecteur est tout de suite frappé par de nombreuses correspondances qui s'établissent entre la perception d'un Québec en pleine ébullition qu'on peut trouver chez Gabrielle Roy, et ces anciennes colonies britanniques aux prises avec des changements qui devaient à jamais transformer et marquer l'Afrique. Il est indispensable de rappeler, d'ailleurs, que la perception de Margaret Laurence est celle d'une étrangère, d'une exilée vivant parmi des exilés. Les Africains dont elle parle sont réellement coupés de leur passé et de leur présent: leur avenir est on ne peut plus incertain. Dans les nouvelles de Margaret Laurence, les personnages se rendent compte de leur sort et de celui d'autrui, sensibilisant en même temps le lecteur à leur situation.

Chacune des nouvelles nous met en présence d'Africains et d'Européens: il existe entre eux les conflits et les affrontements traditionnels qu'a soulevés le colonialisme. Les Européens, entendons par là les Anglais, sont exilés de leur propre pays, et sont souvent de passage seulement, en Afrique. Le colonialisme ayant opéré de profonds schismes au sein des sociétés africaines, les Africains sont exilés dans leur propre pays: bien qu'ils aient souvent renoncé aux valeurs traditionnelles, ils ne sont pas acceptés en égaux par le colonisateur. Bien qu'ils essaient d'imiter leurs maîtres, ils ne pourront jamais leur ressembler.

Dans "*The Drummer of All the World*", le narrateur, Matthew, fils de missionnaire, précise: "*My father thought he was bringing Salvation to Africa. I, on the other hand, no longer know what salvation is. I am not sure that it lies in the future. And I know that it is not to be found in the past*[26]". Ayant passé toute son enfance en Afrique, Matthew sera condamné plus tard à un dépaysement perpétuel: il pourra difficilement réintégrer l'Angleterre, mais ne sera pas non plus accepté dans le pays depuis peu indépendant. Né en Afrique, Matthew n'a pas choisi son exil, mais doit néanmoins l'assumer.

En revanche, M. Archipelago et son adjointe, Doree, ont choisi de vivre une sorte d'exil en Afrique, bien qu'ils laissent parfois entendre auprès des clientes européennes de leur salon de coiffure qu'un passé légèrement sordide les a obligés à quitter leur pays d'origine ("*The Perfume Sea*"). Pour Archipelago, il n'est pas question de "retourner" quelque part. "*I should like to die here and be buried in my own garden.*

Perhaps if I were buried under the wild orchids they would grow better. I have tried every other kind of fertilizer[27]". Pour les Européens, Doree et Archipelago n'existent pas; cependant, les Africains les considèrent comme faisant partie de la communauté européenne, donc ils sont doublement exilés. Ils avouent tous deux, à la fin de la nouvelle, qu'il n'y a pas de retour possible: ainsi, ils choisissent leur exil, ils l'assument, et le contemplent avec équanimité. Archipelago est très conscient de son milieu mais ne perd pas complètement la nostalgie d'une Europe lointaine, moins forte certes que celle qu'éprouve l'élite coloniale. Parfois il se perd dans des rêveries où il voit "*the gowns of whispering ladies, twirling forever in a delicate minuet of dust, the ladies watched over by pale and costly marble angels...*[28]".

Le portrait que nous présente Margaret Laurence des missionnaires et de leur prosélytisme en Afrique est très peu flatteur. Le père de Matthew ("*The Drummer of All the World*"), malgré de nombreuses tentatives de détruire les idoles des Africains et de leur inculquer la foi chrétienne, échoue dans sa mission, à son grand désespoir. Dans "*The Merchant of Heaven*", dont le titre même est très ironique, Brother Lemon, digne représentant du *Angel of Philadelphia Mission*, arrive en Afrique, "*the apostle landing at Cyprus or Thessalonica, the light of future battles already kindling in his eyes, and replete with faith as a fresh-gorged mosquito is with blood*[29]". Comme ses prédécesseurs, il apporte la Foi et n'a que mépris pour les rites et croyances païens des indigènes. Il s'impose d'emblée un nombre précis d'âmes à repêcher; pour lui, toutes les stratégies du marketing moderne sont bonnes. Mais il échouera, car les Africains, tout en faisant semblant d'embrasser sa foi, surtout en raison des récompenses matérielles qu'il leur propose, ne se convertiront pas. Comme dira Danso: "*I am several times a Christian. I have been baptised into the Methodist, Baptist and Roman Catholic churches, and one or two others whose names I forget*[30]". L'exil volontaire de Brother Lemon se solde par l'échec, et par son retour aux États-Unis.

La construction d'un pont bouleverse profondément tout un village éloigné dans "*The Tomorrow-Tamer*", qui donne son nom au recueil, car elle entraînera en même temps la destruction d'un temple voué à l'adoration de l'esprit de la rivière. Les anciens du village craignent la colère de celui-ci advenant l'interruption des rites sacrés. Kofi, un jeune homme du village, à mi-chemin entre les valeurs anciennes et nouvelles, travaille à la construction du pont, assumant des tâches de plus en plus complexes. Il devient, en quelque sorte, le "prêtre" de ce nouveau "temple": dans un moment d'imprudence, il tombe du haut du pont et perd la vie. Pour ceux qui redoutaient la vengeance de la rivière, sa mort est la preuve que l'esprit Owura a pris le dessus sur celui du pont, qu'ils investissaient également de pouvoirs magiques. "*The fish is netted and eaten; the antelope is hunted and fed upon; the python is slain and cast into the cooking-pot. But — oh, my children, my sons — a man consumed by the gods lives forever*[31]".

D'autres nouvelles montrent le conflit à la fois tragique et risible entre les cultures indigène et importée. Adua, dans "*A Gourdful of Glory*", se maquille à l'instar des jeunes filles des villes, et travaille dans un club, le *Weekend in Wyoming*; elle adopte un nom occidental, Marcella. Dans "*The Rain Child*" il est question de la réadaptation impossible d'une Africaine née et élevée à l'étranger: Ruth est exilée en Angleterre, et exilée en Afrique; sa perception de son pays est celle d'une étrangère. Enfin, dans "*The Pure Diamond Man*", un jeune Anglais, Philip Hardacre, dont la famille a fait fortune en exploitant une mine de diamants, se rend en Afrique à la recherche de la culture "authentique", cette quête s'inscrivant sans doute dans le cadre d'une tentative de déculpabilisation vis-à-vis des intérêts purement mercantiles de sa famille. À deux reprises, il sera dupe d'Africains astucieux, prêts à organiser à son intention des rites tout à fait factices pour satisfaire à sa curiosité, moyennant une généreuse récompense, il va sans dire.

À travers ses nouvelles, Margaret Laurence souligne très efficacement les nombreux problèmes qu'a créés le colonalisme en Afrique; déjà, dans les nouvelles, nous décelons un sens aigu de l'observation, une oreille très sensible aux cadences et aux diverses articulations de la langue. Nous ressentons également la grande sympathie qu'elle éprouve envers les Africains. Elle témoigne de cette sympathie en s'intéressant à la littérature somalienne, d'une part, et en cherchant à comprendre la période très difficile de la décolonisation, d'autre part. Comme l'affirme Henry Kreisel, "ce qui nous frappe chez Margaret Laurence, en fin de compte, c'est l'affirmation, dépourvue de sentimentalité, de la dignité fondamentale de l'être humain[32]".

En 1957, Margaret Laurence s'installe à Vancouver, et en 1962, à Londres. En 1968, elle publie *Long Drums and Cannons*, une étude critique de dramaturges et de romanciers nigériens (1952-66). Le premier roman en anglais d'un Nigérien remonte à 1952; l'étude de Margaret Laurence est donc un premier jalon dans le domaine.

Cette étude rapide des antécédents de l'oeuvre romanesque de Gabrielle Roy et de Margaret Laurence nous permettra de mieux situer l'originalité des débuts de l'oeuvre romanesque. Nous y retrouverons certaines des préoccupations des deux écrivains au cours de leurs périodes d'exil et d'apprentissage, ainsi que la cristallisation de leur vision sociale.

---

1 Gabrielle Roy, "Une voile dans la nuit", *FLT*, p. 93.

2 Margaret Laurence, *The Prophet's Camel Bell* (Toronto: McClelland & Stewart, 1963), p. 237.

3 Rex Desmarchais, "Gabrielle Roy nous parle d'elle et de son roman", *Bulletin des agriculteurs*, Mai 1947, p. 38.

4 François Ricard, *Gabrielle Roy* (Montréal: Fides, 1975), p. 42.

5 *Ibid.*, pp. 42-43.

6 Marc Gagné, *Visages de Gabrielle Roy* (Montréal: Beauchemin, 1973), p. 35.

7 "Peuples du Canada" ("Les Huttérites"), *FLT*, p. 17.

8 *Ibid.*, p. 18.

9 *Ibid.*, p. 29.

10 Voir "Pour empêcher un mariage" dans *Rue Deschambault*.

11 "Peuples du Canada" ("De turbulents chercheurs de paix"), *FLT*, p. 38.

12 "Les Mennonites", p. 52.

13 *Ibid.*, p. 47.

14 *Ibid.*, pp. 51-52.

15 *Ibid.*, p. 53.

16 *Ibid.*

17 "Peuples du Canada" ("Les Sudètes de *Good Soil*"), p. 68.

18 *Ibid.*, p. 74.

19 Voir par exemple le portrait de Miss O'Rorke ainsi que la lettre d'Edmond dans *la Petite Poule d'Eau*.

20 "Les Sudètes de *Good Soil*", pp. 74-75.

21 "Peuples du Canada" ("Les pêcheurs de Gaspésie [Une voile dans la nuit]"), p. 91.

22 Cité par Jack Warwick, *The Long Journey* (Toronto: University of Toronto Press, 1968), p. 71. *The journey is never merely a passage through space, but rather an expression of the urgent desire for discovery and change... Primarily, to travel is to seek.*

23 Margaret Laurence, *The Prophet's Camel Bell* (Toronto: McClelland & Stewart, 1963), p. 16. *Every traveller sets foot on shore with some bias. Not being a scholar in Arabic literature or anything else, I had no specific preconceived ideas of what the Somalis would be like, or ought to be like. My bias lay in another direction. I believed that the overwhelming majority of Englishmen in colonies could properly be classified as imperialists, and my feeling about imperialism was very simple — I was against it. I had been born and had grown up in a country that once was a colony, a country which many people believed still to be suffering from a colonial outlook, and like most Canadians I took umbrage swiftly at a certain type of English who felt they had a divinely bestowed superiority over the lesser breeds without the law.*

24 *Ibid.*, pp. 1-2.
And in your excitement at the trip, the last thing in the world that would occur to you is that the strangest glimpses you may have of any creature in the distant lands will be those you catch of yourself.
Our voyage began some years ago. When can a voyage be said to have ended? When you reach the place you were bound for, presumably. But sometimes your destination turns out to be quite other than you expected.

25 Le *gabei* est la forme poétique la plus évoluée dans la littérature somalienne.

26 Margaret Laurence, *The Tomorrow-Tamer* (Toronto: McClelland & Stewart, NCL no. 70, 1970), p. 1. Mon père croyait apporter le Salut aux Africains. Pour ma part, je ne sais plus en quoi consiste le salut. Je ne suis pas sûr de le trouver dans l'avenir; je sais, à présent, qu'il ne faut pas le chercher dans le passé.

27 *Ibid.*, p. 26. J'aimerais mourir ici et être enterré dans mon propre jardin. Si j'étais enterré en dessous de mes orchidées sauvages, elles pousseraient mieux. J'ai essayé tous les autres engrais.

28 *Ibid.*, p. 47. ...les robes de dames chuchotantes, tourbillonnant à jamais dans un menuet poussiéreux, ces dames surveillées par des anges en marbre pâles et coûteux...

29 *Ibid.*, p. 51. ...l'apôtre débarquant à Chypre ou à Thessalonique, ses yeux déjà allumés par les batailles à venir, aussi débordant de sa foi qu'un moustique gorgé de sang.

30 *Ibid.*, p. 62. J'ai été chrétien à maintes reprises. J'ai été baptisé méthodiste, baptiste et catholique romain, sans compter quelques autres cultes dont j'oublie le nom.

31 *Ibid.*, p. 104. Le poisson est pris dans le filet et mangé; l'antilope est chassée et consommée; le python est tué et jeté dans la marmite. Mais — mes enfants, mes fils — un homme dévoré par les dieux vit à jamais.

32 Henry Kreisel, "*The African stories of Margaret Laurence*", *The Canadian Forum*, 41 (1961), p. 10. *Ultimately what is impressive about her writing is the affirmation, without any sentimentality, of the essential dignity of human personality.*

33 Par ailleurs, Gabrielle Roy fait appel à ses souvenirs de cette période dans "Le Cercle Molière . . . porte ouverte . . ." *in Chapeau bas! Réminiscences de la vie théâtrale et musicale du Manitoba français*, Saint-Boniface (Manitoba), Les Éditions du Blé, Les Cahiers de la Société historique de Saint-Boniface, 2, 1980, pp. 117-124.

CHAPITRE III

DÉBUTS ET ÉVOLUTION DE L'OEUVRE ROMANESQUE

> Mais vous savez que la vie, telle qu'elle se déroule tous les jours sous nos yeux, n'offre pas autre chose, ainsi que dans les contes des Mille et Une Nuits, qu'une histoire au bout d'une autre histoire et que toujours elle aboutit à cela qui nous passionne: l'inconnu.
>
> Gabrielle Roy[1]

> *I owe a great deal to Sinclair Ross and W.O. Mitchell who taught me that it was possible to write out of a small prairie town.*
>
> Margaret Laurence[2]

L'originalité de *Bonheur d'occasion* et de *This Side Jordan* tient moins à la nouveauté de la forme des récits car, au fond, Gabrielle Roy et Margaret Laurence élaborent des récits tout à fait traditionnels quant à leur structure et leur conception spatio-temporelle, qu'à leur compassion et à leur réalisme. Nous avons déjà retracé brièvement le cheminement des deux écrivains et avons trouvé que les principales étapes présentent de nombreuses correspondances; en jetant les bases de leur oeuvre romanesque, toutes deux s'inspireront d'une expérience observée plutôt que vécue. En nous faisant découvrir le quartier ouvrier de Saint-Henri, d'une part, et le Ghana à l'heure de son indépendance, d'autre part, Roy et Laurence, toutes deux "exilées" en territoire "étranger", en quelque sorte, ont donné des oeuvres qui décèlent une vision sociale à la fois lucide et troublante.

Gabrielle Roy était déjà connue d'un certain public grâce à ses écrits journalistiques, dans lesquels nous trouvons, d'ailleurs, "une part importante des préoccupations humanitaires et le socialisme idéaliste d'Emmanuel préfigurés dans de nombreux passages sur la condition des ouvriers et des cultivateurs du Québec ou des Prairies[3]". L'optimisme des premiers articles fait place petit à petit à une attitude plus nuancée, parfois à de vives inquiétudes quant aux conséquences éventuellement fâcheuses de l'industrialisation du Québec, au fur et à mesure que la journaliste se rendra compte de l'ampleur des transformations qu'a provoquées cette industrialisation.

Au cours des sept années qu'elle a passé en Afrique, Margaret Laurence partageait pleinement la foi au progrès et l'optimisme qu'éprouvaient de nombreux Africains et libéraux des pays occidentaux durant les années cinquante et soixante. Venue d'ailleurs, tout comme Gabrielle Roy, Laurence a ressenti un profond attachement pour les Africains; malgré cela, elle arrivera à maintenir une certaine distance, et atteindra même une certaine objectivité, lorsqu'elle écrira son premier roman.

Bonheur d'occasion et *This Side Jordan* ont fait l'objet, chacun, de nombreuses études jusqu'à ce jour: il n'est pas de notre propos d'y revenir à présent. Toutefois, dans l'optique de notre étude comparative, trois aspects des romans retiennent notre attention: le rôle primordial que joue la famille dans les récits de Roy et de Laurence; le don aigu d'observation des milieux et des personnages dont font preuve les deux romancières; et la justesse avec laquelle elles captent les nuances et cadences les plus subtiles du langage.

Les préoccupations sociales de Gabrielle Roy se devinaient assez facilement à travers ses écrits journalistiques. Aussi la composition de *Bonheur d'occasion* ne marque-t-elle pas une rupture dans sa création, mais bien plutôt l'aboutissement d'une réflexion déjà entamée. Le roman, publié en 1945, a été conçu à l'origine comme une nouvelle, et c'est au cours d'une assez longue élaboration que cette nouvelle a atteint les proportions que nous connaissons aujourd'hui.

En raison de son exil en Afrique, Margaret Laurence trouvait inconcevable que son premier roman soit autobiographique:

> ...ma perception de mon village natal [Neepawa] était toujours déformée parce que je l'avais quitté peu avant. Ce n'était qu'en m'éloignant davantage que je pouvais espérer mieux l'apercevoir. En outre, il m'est arrivé de constater que la forme romanesque que je pouvais manier le mieux exigeait que les personnages aient une existence indépendante; tout en m'identifiant

> même modérément au personnage principal, j'ai pu ainsi garder une certaine distance vis-à-vis de lui[4].

Laurence a entrepris la rédaction de *This Side Jordan* lorsqu'elle habitait au Ghana; ce n'est que quatre ans plus tard qu'elle a achevé le manuscrit après l'avoir remanié à fond; il a été publié en 1960.

Dans son étude thématique de la littérature canadienne, *Survival*, Margaret Atwood propose trois symboles qui caractérisent souvent les littératures anglaise, américaine et canadienne: ce sont, respectivement, l'île, la frontière et la survivance. Cette symbolique peut aussi caractériser la perception de la famille que projette chaque littérature. Plus précisément, dans la littérature anglaise, la famille représente une structure à l'intérieur de laquelle évolue le personnage et dont il se détache très rarement. Dans la littérature américaine, le héros atteint sa liberté seulement en se rebellant contre sa famille, en s'en détachant, en partant à la recherche de sa propre autonomie. En revanche, dans les littératures québécoise et canadienne, la famille est souvent conçue comme un piège dans lequel le personnage est pris, et dont il ne peut pas s'évader[5].

Or cette symbolique s'applique très justement à *Bonheur d'occasion* et à *This Side Jordan*. Le Québec à l'heure de l'industrialisation et le Ghana à l'heure de l'indépendance sont deux sociétés qui se transforment radicalement, et dont les membres en sont profondément touchés. À l'intérieur de ces sociétés, la famille joue un rôle essentiel, car elle est un microcosme de la société en général, étant à la fois source de solidarité et de désunion, de rapprochement et d'éloignement. Dans son analyse du comportement du personnage typique dans le roman canadien, Margaret Atwood précise: "Le sentiment d'emprisonnement chez le protagoniste canadien trouve souvent son contrepoids dans un sens également fort de conservation: il ne s'agit pas de la conservation de soi, mais de celle du groupe...[6]".

Dans *Bonheur d'occasion*, dont le thème essentiel est celui de l'emprisonnement, Gabrielle Roy étudie jusque dans ses moindres détails la vie de la famille Lacasse, qu'elle situe tout de même dans un contexte plus large, Saint-Henri. Dans *This Side Jordan*, la famille, et surtout les ancêtres, sont d'une importance primordiale; le thème principal du roman n'est qu'accessoirement l'emprisonnement, comme nous le verrons plus loin, mais ce thème est d'une importance certaine, surtout dans l'optique des liens entre les différentes générations de la même famille.

La famille Lacasse illustre à merveille la notion de la famille-piège énoncée par Margaret Atwood. Les membres de la famille étouffent tous dans leur misère quotidienne et doivent se résigner à l'impossibilité de s'en sortir. Leur seule source de salut sera la guerre. Azarius, être à la fois pathétique et attachant, est déchiré par son optimisme inné, inébranlable, et son incapacité d'améliorer le sort des siens. Rêveur, orateur, travailleur à ses heures, il est à la fois auteur et témoin de la misère de sa famille. C'est lui que l'on s'attendrait à voir fuir, devant tant de malheurs, et pourtant, il ne fuit pas, du moins physiquement, tout en refusant de reconnaître sa responsabilité, incapable de subvenir aux besoins de sa femme et de ses enfants, résigné seulement à la fin à s'enrôler dans l'armée, afin d'assurer un peu d'aisance matérielle, mais combien dérisoire, à Rose-Anna. Toutefois, Gabrielle Roy ne se livre guère à une condamnation a priori d'Azarius: en réalité, tout le quartier de Saint-Henri est peuplé de chômeurs semblables, prêts à travailler, mais pour qui il n'existe que quelques faibles lueurs d'espoir. Quant à Rose-Anna, c'est elle qui doit supporter la part la plus lourde du fardeau de l'indigence des Lacasse. Il lui incombera toujours de partir à la recherche d'un nouveau logement, c'est elle qui devra continuellement faire des calculs minutieux afin que la famille puisse joindre les deux bouts.

Florentine rêve sans cesse d'une vie plus aisée, mais étant devenue le seul soutien de sa famille, il lui est impossible d'envisager de l'abandonner: autrement dit, elle aussi est prise au piège. Sa mère et ses frères et soeurs lui renvoient sans cesse l'image de sa propre pauvreté; elle doit sans cesse refouler ses propres aspirations et désirs à la faveur des besoins rudimentaires de sa famille. Elle a hérité de sa mère un fort instinct de conservation, non seulement d'elle-même, mais de toute sa famille.

Les autres enfants Lacasse envisagent naïvement leur évasion. Yvonne rêve déjà de s'enfermer dans un couvent, donc, d'échanger une forme d'emprisonnement contre une autre, possiblement plus douce; Eugène s'enrôlera dans l'armée, mais jusqu'au moment de son départ il vivra aux dépens de sa mère. Le petit Daniel mourra de leucémie, connaissant, avant de mourir, le paradis terrestre que représentent à ses yeux l'hôpital et les douces attentions de l'infirmière, Jenny.

Dans *This Side Jordan*, Margaret Laurence nous met en présence de deux couples: Johnnie et Miranda Kestoe, et Nathaniel et Aya Amegbe. Ces derniers représentent la génération d'Africains qui doivent choisir entre le passé et le présent, entre les traditions de la société africaine et les valeurs et traditions imposées par les colonisateurs européens. Le thème essentiel du roman est celui de la naissance: la naissance d'une nation, la naissance de la connaissance de soi, et la naissance de deux enfants, l'un noir, l'autre blanc, qui seront de la première génération de la "nouvelle" Afrique. Selon Margaret Laurence, le roman décrit "la prise de conscience de chaque individu vis-à-vis de son passé, de son enfance, de ses parents, jusqu'au moment où l'individu se rend compte de son autonomie, sans pour autant rejeter le passé, mais au contraire en se réconciliant avec lui[7]".

Johnnie et Miranda Kestoe, comme d'autres Européens, ont quitté un pays largement idéalisé dans leur esprit, et risquent fort de perdre la modeste sécurité que leur a procurée leur "exil" en Afrique. Tout comme les habitants du Québec récemment arrivés en ville sont "exilés" de leur passé et leurs traditions, il en va de même pour les Africains qui viennent à peine de quitter la jungle pour s'intégrer à la vie urbaine. Or les liens familiaux et les traditions tribales étant toujours très forts, de nombreux conflits apparaissent: Nathaniel est aliéné déjà de son passé, mais ne se sent pas tout à fait à l'aise dans le présent. Tout comme Azarius, il est optimiste; il est persuadé que l'éducation représente la meilleure garantie de salut de son pays. Toutefois, il est continuellement rongé par de graves doutes, et s'interroge constamment sur la capacité de ses concitoyens d'assumer le rôle qui leur sera dévolu lors de l'indépendance. Son oncle lui demandera d'accepter le poste d'adjoint auprès du chef d'un village voisin de son village natal; sa tante insistera pour que sa femme, Aya, donne naissance à l'enfant qu'ils attendent chez ses parents, entourée des siens, et non à l'hôpital. Tous les conflits entre le passé et le présent sont soulignés de façon magistrale par les monologues intérieurs de Nathaniel[8].

Dans une série de quatre articles publiée dans *le Bulletin des agriculteurs* en 1941, époque qui coïncide à peu près avec le commencement de la rédaction de la nouvelle qui allait devenir *Bonheur d'occasion*, ayant pour titre "Tout Montréal", Gabrielle Roy fait preuve d'un sens aigu de l'observation. Dans le premier article, "Les deux Saint-Laurent", elle se livre à des descriptions vives et colorées de la ville, évoquant en même temps son séjour en Europe (Verdun rappelle les petits ports des comtés du sud de l'Angleterre; certains aspects de Lachine ne sont pas sans rappeler Londres, Bruges-la-morte ou la Provence). Toutefois, à l'intérieur de cette description de la physionomie de la ville, l'auteur souligne à plusieurs reprises la misère humaine qui y règne.

Déjà, dans le deuxième article de la série, qui s'intitule "Est-Ouest", elle se penche davantage sur la vie des citadins. Se servant d'une technique presque cinématographique — dont elle se servira dans *Bonheur d'occasion* plus tard, à savoir, le plan d'ensemble suivi d'un gros plan de quelque détail de l'ensemble elle nous révèle un quartier morne et sombre:

> Triste quartier, laid, gris, que dominent les réservoirs de la compagnie de gaz. De nombreuses familles d'ouvriers besognent aux raffineries d'huile, aux usines du Canadien Pacifique, du gaz et au port. Mais une partie de la population végète, secourue par l'Assistance publique.
>
> Quelques rues ombragées, sereines, où des religieuses mènent les élèves à la promenade. Quelques maisons isolées face à des champs incultes. Beaucoup de taudis. Misère chronique.
>
> Du coin de Havre et Ontario, j'aperçois un groupe de maisons qui se délabrent: carreaux défoncés, fenêtres bouchées de guenilles ou de papier. Une porte entr'ouverte révèle une petite chambre: des lits, des lits.
>
> Devant ces maisons, une pente de verdure qui seule en atténue la misère. Les petits pauvres y vivent *au royaume magique de l'illusion*[9].

Dans le troisième article, "Du port aux banques", sa vision de la ville industrielle se précise davantage, et elle décrit de manière saisissante le rythme trépidant, ahurissant de la vie du quartier:

> Savonneries, papeteries, cartonneries, fonderies, aciéries, filatures de coton, soieries, fabriques de cigarettes, lampisteries, biscuiteries, charbonneries, usines des compagnies de chemin de fer, chaudronneries, flaconneries, tanneries, huileries, tôleries, raffineries battent l'enclume, rougissent le fer, tournent les manivelles, empaquettent, étiquettent, dévident, pédalent, martèlent, comptent, soupèsent, mesurent, emballent, enregistrent. Et pendant les heures de repos, enveloppent tout de suie et d'un roulement sourd[10].

Enfin, dans le quatrième et dernier article, "Après trois cents ans", Gabrielle Roy est amenée à constater que "Montréal est dur et pitoyable. Il loge les vivants dans des termitières enfumées, les morts sur le versant le plus salubre et le mieux exposé de la ville. Il vote des secours aux chômeurs et les laisse vivre dans une déchéance voisine de la mort spirituelle[11]".

De là jusqu'à *Bonheur d'occasion*, il ne restait à l'écrivain qu'une courte étape à franchir. Partout dans le roman, nous trouverons des descriptions d'une puissance extraordinaire, qui font appel à tous les sens[12].

Selon Hugo McPherson, *Bonheur d'occasion* nous donne "une image de la vie moderne empreinte de la clarté d'un cauchemar, ou d'un paysage apocalyptique de El Greco. Ce monde fantasmagorique de traversées de chemin de fer, de suie, de sirènes d'usines, nous saisit, et nous oblige à le scruter dans ses moindres détails, et d'en avouer *la vérité*. C'est une image que n'ont jamais saisie les citadins complaisants de Westmount, lorsqu'ils regardent les lumières "pittoresques" de la basse ville...[13]".

Dans *This Side Jordan*, Margaret Laurence rend également saisissant le milieu qui sert de toile de fond à son récit; en procédant par petits traits incisifs, elle parvient à brosser en peu de mots un tableau haut en couleurs, qui fait aussi appel à tous nos sens:

> *The sun sucked everything into itself. The circle of gold, Nyankopon's image, which shot its arrows of life into man and leaf, now shrivelled the life it had made. The sun was everywhere, and men, dying miniature deaths before it, turned away and slept.*
>
> *Only a few challenged the Lord of Creation, dimly aware in their liquid-feeling bones that they did so, fighting off His drug of sleep, angry at the melting of their minds in the golden fire of noon*[14].

Ailleurs, elle décrit l'Académie Futura où Nathaniel enseigne:

> *Not so long ago the building had been a tenement. Now it was a school. In the damp heat and corroding salt winds, it sagged, buckled, rotted and decayed a little more each year. Warped wooden shutters flapped brokenly at every window, and the discolorations of time oozed wetly from the walls. It was like an old unburied corpse.*
>
> *...scrawny chickens squawked and pecked, and a turkey, tethered by a vine, repeated untiringly its sad demented cry. The mud compound was littered with crumpled bits of paper, blackened banana peels, mango stones with shreds of fruit clinging dirtily to them*[15].

Le réalisme des récits de Gabrielle Roy et de Margaret Laurence, l'authenticité dont ils sont empreints, découlent en partie de la façon dont ils captent les particularités du langage des personnages. Il est à noter, toutefois, que le langage des gens de Saint-Henri perd énormément de sa saveur lorsqu'il est traduit en anglais (voir *The Tin Flute*):

> — Toi, dit-il, t'as eu de la chance. Si tu veux faire le héros, c'est ton affaire. Chacun sa business. Mais nous autres, qu'est-ce qu'on a eu de la société? Regarde-moi, regarde Alphonse. Qu'est-ce qu'a nous a donné à nous autres, la société? Rien. Pis, si t'es pas encore content, regarde Pitou. Quel âge qu'il a Pitou? Dix-huit ans...eh ben! il a pas encore fait une journée d'ouvrage payé dans sa vie. Et v'là betôt cinq ans qu'il est sorti de l'école à coups de pied dans la bonne place et pis qu'y cherche. C'est-y de la justice, ça? Trois ans à courir à drette et à gauche, et à pas apprendre d'aut' chose qu'à ben jouer sa guitare! Et v'là not'Pitou qui fume comme un homme, mâche comme un homme, crache comme un homme, mais y a pas gagné une tannante de cenne de toute sa saprée vie. Trouves-tu ça beau, toi? Moi, je trouve ça laite, ben laite[16].

Dans *This Side Jordan*, Margaret Laurence devait faire face à un problème de taille en essayant de rendre justement le langage des personnages: certains d'entre eux parleraient normalement leurs propres dialectes, mais leurs dialogues seraient présentés en anglais. D'autres s'expriment en "pidgin":

> *'Not be so, madam' Whiskey cried. 'You no savvy African family. My bruddah, my sitah, all time dey say — "Whiskey, why you no give we more money?" Trouble me too much, madam. Now my bruddah — he got some small case. Poor man no be fit for med case, madam.'*
>
> *'What's the case about?' Miranda asked.*
>
> *'My family got land near Teshie. Mek farm long time. Den family come small-small. No got plenty man. No look-a de farm propra. Nuddah family, he go for my land, plant corn, plant cassava. My bruddah say, "Go, you". Nuddah man, he say "You no mek we go". Too much palavah. Go for court. Madam — I beg you. You hap me*[17].

Le traducteur littéraire voulant rendre en français ce dialogue éprouverait les mêmes difficultés que celui qui essaierait de traduire avec justesse en anglais les propos en parler "populaire" de certains personnages de Gabrielle Roy: certains propos sont carrément intraduisibles, et une traduction "littéraire" enlève forcément de la saveur, voire de la couleur, à ce langage.

Comme nous l'avons indiqué plus haut, Gabrielle Roy et Margaret Laurence n'ont pas révolutionné le genre romanesque au niveau de la forme en écrivant *Bonheur d'occasion* et *This Side Jordan*; néanmoins, à bien des égards leurs oeuvres représentent une étape décisive dans l'évolution des lettres québécoises et canadiennes. Gabrielle Roy fut innovatrice dans la mesure où son récit était hautement ancré dans le présent, et où elle s'employait à décrire avec compassion la vie combien triste et morne de petites gens, victimes de l'industrialisation, de l'enfer que pouvait être le milieu urbain, à une époque, pourtant, où le progrès se voulait porteur de grands espoirs. Ce qui frappe encore aujourd'hui lorsqu'on lit *Bonheur d'occasion*, c'est le profond attachement de la romancière vis-à-vis des êtres auxquels elle a donné vie. Emprisonnés dans leur médiocrité, leur quotidienneté étouffante, résignés au sort que leur réserve une société qui fait pourtant appel à eux en temps de guerre, assaillis de toutes parts par les nombreuses tentations de la ville, les gens de Saint-Henri sont accablés de misère chronique. Dans son discours de réception à la Société royale du Canada, "Retour à Saint-Henri", l'auteur reviendra sur le sujet: "l'abondance extraordinaire de notre temps, les beaux échanges de produits qui pourraient rendre notre vie si aimable, tout cela passait par Saint-Henri sans y laisser beaucoup plus que de la suie, des odeurs violentes et le sentiment poignant de l'insécurité[18]". Mais malgré la conclusion assez sombre du roman, Gabrielle Roy n'était pas tout à fait pessimiste quant à l'avenir:

> Parce qu'ils ont vécu l'un et l'autre pour le bien-être d'autrui, Emmanuel et Rose-Anna ne nous laissent peut-être pas entièrement démunis d'espoir. Qu'ils nous encouragent par leurs épreuves, tout fatigués que nous sommes d'avoir tant de fois essayé de nous tendre encore une fois vers l'idéal d'une société meilleure, d'une humanité meilleure, et la vie effacée de Rose-Anna, et la mort sans bruit d'Emmanuel, n'auront peut-être pas été tout à fait inutiles. Même si à nos oreilles cela ne s'entend pas plus que la page d'un livre que l'on tourne[19].

L'époque coloniale en Afrique a suscité l'intérêt de nombreux écrivains occidentaux, entre autres, Joseph Conrad, Winifred Holtby et Joyce Cary; selon G.D. Killam, Margaret Laurence, tout en étant expatriée, atteint dans son premier roman une objectivité jusqu'alors inégalée[20]. Originaire d'une ancienne colonie britannique, déjà sensibilisée aux problèmes de la dislocation culturelle qu'entraîne toujours le colonialisme, elle a pu jeter un regard neuf sur le Ghana et son peuple; son point de vue est essentiellement celui d'une étrangère; bien qu'elle témoigne de beaucoup de sympathie à l'endroit des Africains, elle ne fait point partie des colonisateurs européens. Le réalisme de son récit, la compréhension dont l'auteur fait preuve, font de *This Side Jordan* un roman dont les idées motrices se défendent encore bien de nos jours. Margaret Laurence ne pouvait guère prévoir le cours des événements au Ghana après l'indépendance; néanmoins, la conclusion du roman laisse entrevoir son optimisme. Nathaniel Amegbe dira à son nouveau-né: "*Joshua, Joshua, Joshua. I beg you. Cross Jordan, Joshua*". Ainsi, le Jourdain, barrière de la Terre Promise et symbole du conflit entre le passé et le présent de l'Afrique, sera peut-être franchi par la nouvelle génération.

Jusqu'à présent nous avons essayé de démontrer certaines correspondances dans les cheminements de Gabrielle Roy et de Margaret Laurence vers la création romanesque, ainsi que les correspondances les plus frappantes dans l'élaboration du premier roman de chaque écrivain. Cette étude préliminaire ne se veut aucunement une comparaison purement anecdotique des oeuvres, mais a plutôt pour but la mise en relief de certaines préoccupations sociales dont nous trouverons l'écho dans l'étude plus approfondie de l'oeuvre romanesque annoncée plus haut. Avant d'entamer cette analyse, il faut bien situer certains éléments d'ordre parfois secondaire, mais qui, pris dans leur ensemble, représentent des indices significatifs qui nous permettent de mieux élucider l'évolution de la vision sociale et de l'esthétique romanesque de Roy et de Laurence.

Il serait pertinent de retracer rapidement cette évolution afin de souligner l'unité et la cohésion qui caractérisent les deux univers romanesques que nous examinons. L'essentiel de notre étude comparative devant porter sur les personnages et leur milieu, il n'est pas de notre propos de procéder à une comparaison chronologique, mais de rappeler simplement les étapes principales qu'a suivies l'oeuvre de deux romancières ne partageant ni la même langue ni la même culture.

La création littéraire est "à la fois rupture et retour, une expérience de déréliction en même temps qu'une tentative de solidarité et un irrépressible besoin de communication[22]". Or l'oeuvre entière de Gabrielle Roy semble s'orienter selon deux axes contradictoires ou opposés: "ceux de l'errance puis de l'appartenance, de l'aliénation et de la possession, de l'enfer et du paradis[23]". Dans son étude consacrée à l'ensemble de l'oeuvre de Gabrielle Roy, François Ricard analyse judicieusement cette polarité, et fait ressortir à la fois la tension interne qui existe entre les oeuvres qui suivent *Bonheur d'occasion* et l'unité cyclique (qui repose sur l'idée de l'exil et du retour) qui caractérise l'ensemble.

Ainsi, le "cycle de l'exil" comprend, outre *Bonheur d'occasion, Alexandre Chenevert* (1954) et *la Montagne secrète* (1961); quant au "cycle du retour", il comprend *la Petite Poule d'Eau* (1950), *Rue Deschambault* (1955), et *la Route d'Altamont* (1966). *La Rivière sans repos* (1970), *Cet été qui chantait* (1972), *Un jardin au bout du monde* (1975), et *Ces enfants de ma vie* (1977), écrits après 1966, ne semblent pas s'insérer dans les deux cycles mentionnés plus haut. De la tension que crée ce dialogue de "l'expérience et de l'innocence[24]" naît la grande unité de l'ensemble.

Dix ans avant son retour au Canada, Margaret Laurence y était déjà retournée dans sa fiction. *The Stone Angel*, le premier des romans du cycle de Manawaka, fut publié en 1964, paraissant simultanément en Angleterre, au Canada et aux États-Unis[25]. Vinrent ensuite *A Jest of God* (1966), *The Fire-Dwellers* (1969), *A Bird in the House* (1970)[26], et *The Diviners* (1974). Après la publication du dernier roman, Laurence a annoncé qu'elle n'en écrirait plus[27].

Plusieurs éléments contribuent à l'unité des oeuvres "canadiennes" de Margaret Laurence, dont le village de Manawaka lui-même[28]. Selon la romancière:

> Manawaka n'est pas mon village natal de Neepawa — il ressemble quelque peu à Neepawa, surtout dans son aspect physique: le cimetière sur la colline, la vallée du Wachakwa, petit cours d'eau brune, que je connaissais, enfant. Manawaka est moins un seul village des Prairies que l'amalgame de nombreux villages. Il est, avant tout, lui-même, un village imaginaire, de mon univers particulier, qui atteindra...je l'espère, le monde extérieur que nous partageons tous[29].

Ce sont les protagonistes de Laurence, toutes des femmes et qui essaient toutes de s'en échapper, qui nous font connaître Manawaka. Tout comme Saint-Boniface, moins en tant que lieu physique que comme source de souvenirs du passé, inspirera une grande partie de l'oeuvre de Gabrielle Roy, Neepawa/Manawaka jouera un rôle de premier plan dans celui de Margaret Laurence.

C'est alors qu'elle faisait des recherches sur les écrivains nigériens contemporains[30] que Margaret Laurence se rendit compte que sa propre écriture avait évolué d'une manière semblable à celle des écrivains africains qu'elle étudiait: tentative d'assimiler le passé afin de s'en débarrasser, dans un premier temps, mais aussi afin de mieux se comprendre et de comprendre les gens de sa propre génération, en examinant leur façon d'évoluer[31]. Comme c'est souvent le cas dans les littératures québécoise et canadienne, Roy et Laurence s'intéressent aux rapports qui existent entre les générations, plutôt que d'examiner ceux qui existent entre les membres de la même génération (l'idée des ancêtres, d'ailleurs, est souvent fortement liée à la notion de lieu). À travers ses efforts de saisir dans son ensemble la communauté, dans le sens le plus large du terme, dont elle fait partie, Laurence a découvert la volonté des siens de survivre. Le thème de la survivance, non seulement dans le sens physique, mais également dans le sens de la conservation de la dignité et de la chaleur humaines, de la capacité de communiquer, et de toucher autrui, est capital dans son oeuvre romanesque[32].

Or ce thème et les thèmes analogues de l'exil et de la dépossession (nous parlerons plus loin des nombreuses allusions bibliques dans l'oeuvre de Laurence, en particulier) se manifestent également dans l'oeuvre de Gabrielle Roy: ses personnages font souvent preuve d'une volonté inébranlable de survivre, quels que soient les obstacles qu'ils doivent surmonter[33]. En même temps, ses personnages, comme ceux de Laurence, sont en quête d'une liberté spirituelle, et plus précisément, d'un bonheur personnel.

Il est intéressant de noter que Roy et Laurence se servent de techniques de narration semblables dans leurs romans. Dans cinq des sept romans de Gabrielle Roy, la narration est à la troisième personne du singulier, ce qui "confirme le caractère d'évidence que s'accorde le discours romanesque[34]". En revanche, dans *Rue Deschambault* et *la Route d'Altamont*, la narration se fait à la première personne, bien que la narratrice, Christine, soit à la fois "réelle et imaginaire[35]". Dans trois des quatre romans de Margaret Laurence la narration est à la première personne: *The Stone Angel, A Jest of God, The Fire-Dwellers*; dans *A Bird in the House*, la narratrice, Vanessa MacLeod, ressemble beaucoup à Christine dans les récits de Gabrielle Roy, étant, elle aussi, sortie de l'imagination de la romancière, mais dont la vie correspond à maints égards à celle de Laurence[36]; dans le quatrième, *The Diviners*, la narration se fait à la troisième personne.

L'oeuvre romanesque de Gabrielle Roy semble donc se dérouler "dans l'unité et progresser dans la conscience aiguë du rachat possible, par l'oeuvre artistique, de l'effort toujours plus ou moins décevant d'exister et de poursuivre...l'insatiable quête du bonheur[37]". Les quatre romans et le recueil de nouvelles que comprend le cycle de Manawaka de Margaret Laurence sont empreints d'une grande unité au niveau des personnages, des lieux et des thèmes.

L'inconnu a toujours fasciné Gabrielle Roy, et nombreuses sont les images de départ, nombreux sont les appels du lointain dans son oeuvre. Parmi les personnages de la romancière, "il n'en est aucun...qui ne soit secrètement happé, envoûté et tiré hors de lui-même par la recherche ou l'attente d'un lieu, d'un temps autres et meilleurs[38]". Tout comme les personnages de Margaret Laurence, ils sont souvent "des errants, voyageurs ou exilés[39]".

Dans les chapitres qui précèdent, nous avons retracé les deux cheminements suivis par Gabrielle Roy et Margaret Laurence; dans ceux qui suivent, nous verrons de quelle façon s'est articulée chez les deux romancières une seule recherche, une seule vision sociale, fondée essentiellement sur l'expérience *vécue* et non *observée* (comme ce fut le cas dans les premiers jalons de l'oeuvre romanesque). Chez Gabrielle Roy, le présent *observé* de *Bonheur d'occasion* et d'*Alexandre Chenevert* trouve son écho dans un passé *vécu*, parfois idéalisé et remanié à la guise de la romancière, dans *la Petite Poule d'Eau, Rue Deschambault, la Route d'Altamont, Ces enfants de ma vie*, et dans un moindre degré, dans *la Rivière sans repos, la Montagne secrète* étant essentiellement un roman symbolique. Chez Margaret Laurence, l'époque de l'observation, qui comprend les écrits africains, dont *This Side Jordan*, donne lieu à un retour aux sources; bien que le passé qui inspire son oeuvre à partir de ce moment soit rarement idéalisé, il est néanmoins d'une importance primordiale dans l'élaboration de son oeuvre. Nous reviendrons plus loin sur la question de l'influence du passé sur le comportement des personnages chez Gabrielle Roy et Margaret Laurence.

Ayant retracé les principales étapes dans la vie, l'élaboration de l'oeuvre romanesque et l'évolution de la vision sociale des deux romancières, examinons à présent les personnages de Gabrielle Roy et de Margaret Laurence.

---

1 Gabrielle Roy, "Allions, gai, au marché" (de la série "Horizons du Québec"), *Bulletin des agriculteurs*, Octobre 1944, p. 20.

2 George Melnyk, "*Literature begins with the writer's craft*", *Quill & Quire*, 43 No. 6 (*May* 1977), 12.

3 François Ricard, "Hommage à Gabrielle Roy...", *Liberté*, 18, no 1, (Janvier-février 1976), 66.

4 Margaret Laurence, "*Sources*", *Mosaic*, 3, No. 3 (1970), 81.
...my view of the prairie town from which I had come was still too prejudiced and distorted by closeness. I had to get farther away from it before I could begin to see it. Also, as it turned out ultimately, the kind of novel which I could best handle was one in which the fictional characters were definitely themselves, *not me, the kind of novel in which I could feel a deep sense of connection with the main character without the total identification which for me would prevent a necessary distancing.*

5 Margaret Atwood, *Survival: A Thematic Guide to Canadian Literature* (Toronto: Anansi, 1972), pp. 131-32.

6 *Ibid.*, p. 132. *But the Canadian protagonist's sense of entrapment is likely to be balanced by an equally strong sense of preservation: not self-preservation, but group preservation.*

7 Donald Cameron, *Conversations with Canadian Novelists* (Toronto: Macmillan, 1973), 1:98. *...the whole process of every human individual coming to terms with your own past, with your childhood, with your parents, and getting to the point where you can see yourself as a human individual no longer blaming the past, no longer having to throw out all the past, but finding a way to live with your own past...*

8 Voir Margaret Laurence, *This Side Jordan* (Toronto: McClelland & Stewart, NCL no. 126, 1976), pp. 208-12.

9 Gabrielle Roy, "Tout Montréal" (2): "Est-Ouest", *Bulletin des agriculteurs*, Juillet 1941, p. 9. C'est nous qui soulignons.

10 *Id.*, (3) "Du port aux banques", *Bulletin des agriculteurs*, Août 1941, p. 11.

11 *Id.*, (4) "Après trois cents ans", *Bulletin des agriculteurs*, Septembre 1941, p. 39.

12 Voir par exemple *Bonheur d'occasion* (Montréal: Éditions internationales Alain Stanké, 1977), pp. 37-38.

13 Hugo McPherson, introduction to Gabrielle Roy, *The Tin Flute* (Toronto: McClelland & Stewart, NCL no 5, 1969), p. vi. [*The Tin Flute*] *gives us...an image of modern life that has all the clarity of nightmare, or of an apocalyptic landscape by El Greco. We are caught in this phantasmagoric world of railroad crossings and soot and factory whistles, and made to scrutinize its every detail and to admit the* truth *of the picture. It is an image which comfortable citizens (like those of Westmount, looking out across the "picturesque" lights of the lower town) have never really* seen...

14 Margaret Laurence, *This Side Jordan*, p. 61. Le soleil engloutit tout. Le cercle d'or, image de Nyankopon, dont les flèches lancées jadis ont donné la vie à l'homme et aux plantes, se mettait à présent à ratatiner la vie qu'il a créée. Le soleil était partout et les hommes, expirant de morts miniatures devant lui, s'en étaient détournés et dormaient. Certains défiaient le Créateur, à peine conscients, dans leurs os devenus flasques, du geste qu'ils posaient, luttant contre Son somnifère, enragés par leurs esprits dissous dans le feu doré de midi.

15 *Ibid.*, pp. 16-17. Maison de rapport il y a peu de temps, l'immeuble servait à présent d'école. Grâce à la chaleur, l'humidité et les vents salés corrosifs, il s'affaissait, se gondolait, pourrissait et tombait davantage en ruine chaque année. Des volets déjetés, cassés, battaient à chaque fenêtre, les murs dégageaient tout un éventail de couleurs. On aurait dit un vieux cadavre qui attendait son enterrement.
...des poules chétives faisaient des couacs et picotaient, tandis qu'une dinde, attachée par une vigne, émettait inlassablement son triste cri dément. La cour boueuse était parsemée de bouts de papier, de peaux de bananes noircies, de noyaux de mangues auxquels adhéraient toujours des brins de chair sales.

16 Gabrielle Roy, *Bonheur d'occasion*, p. 58.

17 *This Side Jordan*, pp. 89-90. Ce passage est à peu près intraduisible.

18 Gabrielle Roy, "Retour à Saint-Henri: Discours de réception à la Société royale du Canada", *Fragiles lumières de la terre* (Montréal: Quinze, 1978), p. 172.

19 *Ibid.*, p. 175.

20 G.D. Killam, introduction to *This Side Jordan*, pp. ix-x.

21 *TSJ*, p. 282. Joshua, Joshua, Joshua. Traverse le Jourdain, Joshua, je t'en supplie.

22 François Ricard, *Gabrielle Roy* (Montréal: Fides, 1975), p. 74.

23 *Ibid.*

24 Alan Brown, "Gabrielle Roy *and the Temporary Provincial*", *The Tamarack Review*, I (*Autumn* 1956), p. 61. [*The first four novels of Gabrielle Roy*] *taken together, might be said to form a dialogue of experience and innocence.*

25 Signalons qu'Alfred Knopf, son éditeur américain, a publié en même temps *New Wind in a Dry Land (The Prophet's Camel Bell)*, et *The Tomorrow-Tamer*, événement assez inusité dans le monde de l'édition. Par ailleurs, *Bonheur d'occasion*, publié à Montréal en 1945, fut traduit par la suite, et parut en 1947 aux États-Unis (chez Reynal and Hitchcock) et au Canada (chez McClelland & Stewart).

26 Parmi vingt nouvelles publiées déjà dans diverses revues, huit formaient un ensemble. Nous étudions cette oeuvre au même titre que *Rue Deschambault*, *la Route d'Altamont* et *la Petite Poule d'Eau*: bien qu'il ne s'agisse pas de romans à proprement parler, les personnages sont d'un intérêt capital dans l'optique de notre étude.

27 Dans une entrevue accordée au *Toronto Star* (18 May 1974, p. H5) elle a précisé: "*Now the wheel seems to have come full circle — these five books* [*the Manawaka cycle*] *all interweave and fit together.*"

28 Dans "*The Unity of the Manawaka Cycle*", *Journal of Canadian Studies*, 13, No. 3 (*Autumn* 1978), 31-39, David Blewett analyse également les images et individus contrastés, et le symbolisme des quatre éléments qui se rattache aux quatre romans composant le cycle.

29 Margaret Laurence, "*Sources*", *Mosaic*, 3, No. 3 (1970), 81-82.
Manawaka is not my home town of Neepawa — it has elements of Neepawa, especially in some of the descriptions of places, such as the cemetery on the hill or the Wachakwa valley through which ran the small, brown river which was the river of my childhood. In almost every way, however, Manawaka is not so much any one prairie town as an amalgam of many prairie towns. Most of all, I like to think, it is simply itself, a town of the mind, my own private world...which one hopes ultimately will somehow relate to the outer world which we all share.

30 Voir *Long Drums and Cannons.*

31 "*Sources*", p. 81.

32 *Ibid.*, p. 83.

33 Que l'on songe à la famille Lacasse, à Luzina Tousignant, à Alexandre Chenevert, ou à Pierre Cadorai.

34 Gilles Marcotte, *Le roman à l'imparfait* (Montréal: Éditions La Presse, 1976), p. 11.

35 François Ricard, *Gabrielle Roy*, p. 103.

36 Voir le chapitre huit.

37 André Renaud et Réjean Robidoux, *Le Roman canadien-français du vingtième siècle* (Ottawa: Éditions de l'Université d'Ottawa, 1966), p. 79.

38 François Ricard, "Gabrielle Roy: 'Refaire ce qui a été quitté' ", *Forces*, no 44 (1978), 38.

39 *Ibid.*

DEUXIÈME PARTIE:
Une recherche

CHAPITRE IV

LES PERSONNAGES FÉMININS DANS L'OEUVRE ROMANESQUE DE GABRIELLE ROY ET DE MARGARET LAURENCE

La littérature canadienne a maternisé l'image de la femme.
Jean-Charles Falardeau[1]

What is a woman without a family?
Jack Hodgins[2]

"Avec le cinéma, le roman est le mode narratif qui répond ou correspond au plus grand nombre de nos fonctions psychologiques et de nos comportements psychosociaux[3]". En outre, "le personnage de roman, comme celui de cinéma ou celui de théâtre, est indissociable de l'univers fictif auquel il appartient: hommes et choses... ...les personnages de roman agissent les uns sur les autres, et se révèlent les uns par les autres[4]".

C'est la vie des personnages qui fait la valeur d'un roman, selon Gérard Bessette[5], et chez Gabrielle Roy et Margaret Laurence, nombreux sont les personnages bien dessinés, riches et nuancés sur le plan psychologique. On a souvent remarqué l'absence de portraits de femmes convaincants chez les romanciers québécois et canadiens[6]: ce qui nous frappe d'emblée dans l'oeuvre romanesque de Roy et de Laurence, c'est la prédominance de personnages féminins. Les personnages, et en particulier celui de la mère, nous semble un champ de comparaison particulièrement pertinent et révélateur; la mère, tout particulièrement, devient souvent "le carrefour des rares communications entre les membres de la famille[7]". Dans la fiction québécoise et canadienne, et plus particulièrement dans celle de l'Ouest canadien, la famille sert souvent de base à l'organisation sociale et de source de valeurs morales[8]; en outre, il y a une tendance marquée chez les écrivains québécois et canadiens à examiner les rapports entre les générations plutôt qu'entre des individus de la même génération, tendance dont nous avons parlé plus haut[9]. Étant donné que les personnages secondaires sont souvent les enfants des mères en question, chez Roy et Laurence, nous nous intéresserons aux liens qui les unissent.

Dans trois des cinq romans de Gabrielle Roy que nous examinerons de près (voir le tableau), les protagonistes principaux sont des femmes, toutes mères de famille par surcroît. Elle se définissent toutes en fonction de leur famille et de leurs responsabilités maternelles. Nulle d'entre elles ne se conçoit ni ne se réalise en dehors de l'orbite maternelle, c'est-à-dire d'un cadre bien défini.

LES PERSONNAGES DANS L'OEUVRE ROMANESQUE DE GABRIELLE ROY ET DE MARGARET LAURENCE

GABRIELLE ROY

Bonheur d'occasion: Rosa-Anna Lacasse (mère de famille)
Florentine Lacasse (sa fille)

La Petite Poule d'Eau: Luzina Tousignant (mère de famille)

Alexandre Chenevert: Alexandre Chenevert (travailleur et marginal)

La Montagne secrète: Pierre Cadorai (artiste et marginal)

La Rivière sans repos: Elsa Kumachuk (mère de famille esquimaude et marginale)

Rue Deschambault: Eveline et Christine (mère de famille et fille,
La Route d'Altamont: toutes deux “réelles et imaginaires”)

MARGARET LAURENCE

The Stone Angel: Hagar Shipley (mère de famille et marginale)

A Jest of God: Rachel Cameron (institutrice célibataire)
May Cameron (sa mère)

The Fire-Dwellers: Stacey MacAindra (mère de famille)

The Diviners: Morag Gunn (artiste et marginale)
Jules (Skinner) Tonnerre (Métis et marginal)

A Bird in the House: Vanessa MacLeod (fille "réelle et imaginaire")

Les deux personnages masculins de premier plan que nous nous proposons d'étudier sont marginaux dans le contexte social où ils évoluent: Alexandre Chenevert s'intègre mal à son milieu et à son époque; Pierre Cadorai est artiste, et visionnaire, en quelque sorte: sa démarche est orientée plutôt vers la découverte de soi, quête dont l'aboutissement sera pour le moins équivoque.

Dans le cycle de Manawaka de Margaret Laurence, qui comprend les romans *The Stone Angel, A Jest of God, The Fire-Dwellers,* et *The Diviners*, les quatre protagonistes principaux sont des femmes: à l'exception de Rachel Cameron (*A Jest of God*), elles sont toutes mères de famille. Tout comme les mères dans l'oeuvre romanesque de Gabrielle Roy, elles ne jouissent que de peu d'autonomie en tant que femmes. Même Morag Gunn (*The Diviners*), qui est écrivain et sans doute le plus évolué et le plus indépendant des personnages de Laurence[10], est souvent soumise aux contraintes qui découlent du rôle social dévolu à la mère.

Selon Jean Le Moyne, il existe un seul archétype de la femme dans la littérature québécoise, celui de la mère[11]. Nous avons affaire, précise-t-il, à un mythe[12]. Dans les romans de Gabrielle Roy, en particulier, la mère est "la présence enveloppante par rapport à laquelle les êtres définissent leur idéal, leurs normes de vie, leur sécurité... À travers elle, la famille prend son sens[13]". De façon générale, ce sont les femmes écrivains, dans les littératures québécoise et canadienne, qui élaborent des personnages romanesques de femmes qui "descend[ent] du plan symbolique et s'incarne[nt] dans des êtres qui exprimeront plus franchement leurs désirs et leurs projets d'existence[14]". Très souvent, ces personnages féminins seront plus évolués que leurs protagonistes masculins.

"Le romancier authentique crée ses personnages avec les directions infinies de sa vie possible, le romancier factice les crée avec la ligne unique de sa vie réelle[15]". On a très longuement, et parfois inutilement, insisté sur le fait que sa propre mère sert de sujet d'inspiration à Gabrielle Roy; on pourrait sans doute faire une démonstration semblable au sujet de Margaret Laurence, dont la belle-mère l'a probablement plus fortement influencée que sa propre mère, décédée lorsque la romancière était encore très jeune.

Toutefois, dans l'optique de notre étude, il nous importe moins de savoir dans quelle mesure le portrait de la mère (et l'élaboration des personnages en général) chez les deux romancières découlent d'expériences vécues, que de mettre en relief l'ampleur de l'authenticité de la vie qu'elles donnent à leurs personnages. Les deux écrivains évoluant dans des milieux et des traditions littéraires distincts, il faudrait normalement s'attendre à des divergences sensibles dans la conception des personnages, leur comportement dans un contexte social précis, et les répercussions du milieu sur les personnages. Or, ayant déjà constaté la prédominance de la mère en tant que protagoniste principal chez Roy et Laurence, il nous est permis d'entrevoir d'autres rapprochements entre les deux univers romanesques. Les deux romancières attribuent à leurs personnages, et surtout aux personnages féminins de premier plan, des rôles sociaux relativement restreints; nous chercherons à élucider une telle vision.

Il serait utile de rappeler qu'avant d'écrire son premier roman, Gabrielle Roy s'est souvent intéressée à la vie des gens en milieu rural, ce qui rend d'autant plus saisissante sa vision de la ville dans *Bonheur d'occasion*, et de l'intégration souvent difficile et malheureuse des paysans en milieu urbain. *The Fire-Dwellers* de Margaret Laurence est le troisième volet du cycle de Manawaka, mais le premier roman du cycle où les personnages évoluent en milieu urbain; Hagar Shipley dans *The Stone Angel*, ainsi que Rachel Cameron dans *A Jest of God*, habitent le village de Manawaka même, donc, en milieu rural. Ainsi, les personnages dont nous allons parler ont été élaborés à des stades semblables dans l'évolution de l'oeuvre romanesque de Roy et de Laurence.

Rose-Anna Lacasse et Stacey MacAindra

Dans son étude consacrée aux personnages masculins dans l'oeuvre romanesque de Gabrielle Roy, Anne Lemonde souligne que tous les personnages de père sont profondément torturés et malheureux, exception faite d'Azarius Lacasse, que sa fougue, sa jeunesse et sa foi en l'avenir semblent mettre davantage en relief par rapport aux autres personnages[16]. Rose-Anna Lacasse et Stacey MacAindra, tout comme les protagonistes masculins, "vivent de culpabilité, de remords, d'angoisses[17]". Toutes deux, aux prises avec une situation familiale difficile, emprisonnées, pour ainsi dire, dans le carcan de la domesticité, se mettent continuellement en cause, se demandent sans cesse comment elles peuvent le mieux protéger leurs enfants, et sont obsédées par la nature menaçante de leur environnement physique. Sur le seul plan socio-économique, l'univers de Rose-Anna Lacasse, le quartier ouvrier de Saint-Henri à Montréal durant la Deuxième Guerre mondiale, semble diamétralement opposé à celui de Stacey MacAindra, banlieue relativement aisée de Vancouver pendant les années soixante.

Cependant, nous nous rendons vite compte que les deux femmes partagent, à bien des égards, la même vie: elles renoncent parfois au bonheur au nom du bonheur d'autrui, éprouvent souvent de grandes difficultés de communication vis-à-vis leurs époux, ressentent une grande difficulté à vivre en milieu urbain, cherchent à s'évader même momentanément dans les rêveries, et se sentent isolées, voire aliénées, physiquement et psychiquement.

Rose-Anna Lacasse est la *mater dolorosa* universelle, incarnant à la fois la pauvreté et l'infinie richesse[18]; elle partage l'idéal commun de tous les personnages de Gabrielle Roy: "trouver un bonheur durable qui mettrait fin à son angoisse[19]". Issue de la campagne québécoise qu'elle ne pourra jamais réintégrer, mais inadaptée à la vie urbaine, elle semble" [stagner] dans une sorte de point milieu où le bonheur est impossible[20]". Comme toutes les mères chez Roy et Laurence, Rose-Anna aspire seulement à bien remplir son rôle d'épouse et de mère; en effet, elle est entièrement soumise à son état de mère, n'envisage pas d'autres voies pour elle dans la vie, et ne se conçoit guère en dehors de l'orbite maternelle que nous avons évoquée plus haut[21]. Sa physionomie même nous laisse deviner son accablement devant la vie: "les épaules affaissées, le dos arrondi, les paupières lasses[22]". Elle a un corps informe, "des jambes enflées que la dilatation des veines [marque] de taches sombres et de boursouflures[23]". Ces quelques traits nous rappellent l'usure de ses nombreuses grossesses.

Sa propre mère n'ayant jamais cru au bonheur, Rose-Anna le recherche inlassablement, mais sa quête est condamnée d'avance, sa recherche vouée à l'échec. Le bonheur semble lui échapper: pour elle et sa famille, "chercher une joie [est] un sûr moyen de s'attirer la malchance[24]". Malgré cela, elle est habituée à "tirer le meilleur parti possible des plus minimes avantages[25]". Pour elle, même la joie est "une chose frêle et vite menacée[26]". L'extrême fragilité de cette joie trouve son écho dans l'environnement même:

> Tous les petits tourments habituels auxquels s'ajoutaient ce soir la méfiance de l'inconnu, l'effroi de l'inconnu pire chez Rose-

> Anna que la certitude du malheur, et des souvenirs pesants, lourds à porter encore, venaient la chercher dans l'ombre où elle était livrée sans défense, les paupières closes, les mains abandonnées sur sa poitrine. Jamais la vie ne lui avait paru aussi menaçante, et elle ne savait pas ce qu'elle redoutait. C'était comme un malheur indistinct, n'osant encore se montrer, qui rôdait dans la petite maison de la rue Beaudoin[27].

Toute la vie de femme mariée de Rose-Anna est marquée par deux événements, qui s'associent au printemps, "saison de pauvres illusions[28]": la grossesse et la recherche d'un logement (en dépit de la "pauvre illusion" de Rose-Anna de mieux loger sa famille chaque fois que celle-ci doit déménager, le logement devient de plus en plus étroit et sombre au fur et à mesure que la famille devient plus nombreuse). L'instabilité fondamentale de la famille Lacasse, exacerbée par la résignation d'Azarius et son incapacité de prendre en main ses responsabilités familiales (ce qui alourdit sensiblement la tâche de Rose-Anna, car celle-ci sera appelée souvent à suppléer à son mari, à chercher quelque menue besogne pour subvenir aux besoins de sa famille) trouve aussi son reflet dans le quartier même:

> Une fois par an, il semblait bien que le quartier, traversé par le chemin de fer, énervé par les sifflets de locomotives, s'adonnait à la folie du voyage et que, ne pouvant satisfaire autrement son désir d'évasion, il se livrait au déménagement avec une sorte d'abandon contagieux[29].

Malgré ses qualités de coeur (enthousiasme, oubli de soi, courage, bonté universelle)[30] — "elle domine véritablement le récit par la seule qualité si peu littéraire de la tendresse[31]" — Rose-Anna vit dans une véritable "prison de soucis, de tourments, de chiffres[32]". Très peu, ou souvent nullement secondée par son mari, elle se sent seule, isolée:

> Au fond, la plus grande souffrance de sa vie de mariage tenait peut-être justement à ce sentiment que, dans les décisions importantes, elle ne pouvait prendre appui sur aucun des siens, si ce n'est sur Florentine; et elle n'était pas née pour mener, étant plutôt douce de caractère et sans doute aussi, malgré ses efforts, restée trop rêveuse[33].

Gabrielle Roy et Margaret Laurence nous rappellent souvent les multiples façons dont les enfants sont marqués par leurs parents; chez Laurence en particulier, nous constatons le sentiment de l'importance des ancêtres: nous portons en nous, selon elle, non seulement les traces de nos parents proches, mais un peu de toutes les générations.

Par ses gestes et ses attitudes, Rose-Anna ressemble beaucoup à sa mère, la vieille madame Laplante, et comme nous verrons plus loin, Florentine, encore jeune, ressemble de plus en plus à sa mère. Ces ressemblances semblent parfois condamner d'avance chaque génération à revivre les erreurs des aïeux ou aïeulles, et ne laisse guère aux personnages l'espoir d'améliorer leur sort (ce thème est courant chez Laurence)[34].

Mère soucieuse, Rose-Anna se consacre corps et âme à sa famille:

> S'essuyant les yeux, elle gagna le fond de la pièce double et se jeta tout habillée sur son lit. Il lui fallait encore attendre Florentine et Azarius, puis verrouiller les portes et s'assurer que tous dormaient avant de se dévêtir et d'essayer de chercher un peu de sommeil[35].

Pour ce qui concerne son instinct maternel, elle ressemble à sa mère:

> Madame Laplante avait élevé quinze enfants [Rose-Anna en a eu onze, dont trois sont morts en bas âge; pour elle "la mort et la naissance...ont presque le même sens tragique."][36] Elle s'était levée la nuit pour les soigner; elle leur avait enseigné leurs prières; elle leur avait fait répéter leur catéchisme; elle les avait vêtus en filant, tissant et cousant de ses fortes mains; elle les avait appelés à une bonne table, mais jamais elle ne s'était penchée sur aucun d'eux avec une flamme claire et joyeuse au fond de ses durs yeux gris fer. Jamais elle ne les avait pris sur ses genoux, sauf lorsqu'ils étaient en maillot. Jamais elle ne les avait embrassés, sauf, du bout des lèvres, après une longue absence; ou encore, au jour de l'An, et cela avec une sorte de gravité froide et en prononçant des souhaits usés et banals... Elle avait parlé toute sa vie de résignation chrétienne et de douleurs à endurer[37].

Frappée de redécouvrir ainsi sa mère, Rose-Anna cherche à comprendre son austérité: "n'était-ce pas avant tout la gêne terrible de ne pas savoir défendre les êtres qui l'avaient ainsi fait se raidir toute sa vie[38]"? Rose-Anna est traversée d'incertitude: elle n'est pas certaine de pouvoir aider Florentine, et se demande même si Florentine rechercherait son aide, comprenant subitement "qu'il est très difficile de découvrir ses enfants dans les malheurs secrets qui les atteignent[39]". Envahie par la gravité de cette constatation, Rose-Anna, "sans effort, comme si l'habitude fût déjà ancienne, ...esquissait, sur le bras de sa chaise, le même geste futile que sa vieille mère[40]".

C'est en se reconnaissant dans sa propre mère, voire dans sa condition de mère de famille et de femme, que Rose-Anna se sent proche, même momentanément, de madame Laplante. Cette reconnaissance entre les générations se reproduira plus tard, lorsque Yvonne Lacasse, enfant renfermée, mystique, destinée aux ordres religieux, donc, à une autre sorte d'évasion de la dure réalité de la vie, se reconnaît à son tour en Rose-Anna:

> La fillette se mit à pleurer doucement sur les genoux de sa mère. Et Rose-Anna, émue, se demanda si elle n'avait point mal compris et négligé cette enfant. Elle passa une main sous le menton d'Yvonne, lui fit relever la tête et la regarda dans les yeux. L'expression qu'elle y lut la troubla profondément. C'était une expression de tendre pitié, de protection même, plutôt que de muet reproche comme autrefois[41].

Le rêve constitue le seul moyen d'évasion permis à Rose-Anna; ses rêveries ponctuent les moments de grande tension dans sa vie. Sur le point de prier un soir, se recueillant devant une Mère des Douleurs, "elle voyait des billets, tout un rouleau de billets qui se détachaient les uns des autres, s'envolaient, roulaient, tombaient dans la nuit, le vent soufflant très fort sur eux[42]". À un autre moment, lorsqu'elle est de nouveau à la recherche d'un logement, "elle imaginait un oncle riche qu'elle n'aurait jamais connu et qui, en mourant, lui céderait une grande fortune; elle se voyait aussi trouvant un porte-monnaie bien rempli qu'elle remettait à son propriétaire évidemment, mais pour lequel elle toucherait une belle récompense. L'obsession devenait si vive qu'elle se mettait à fouiller le sol d'un oeil enfiévré. Puis elle avait honte de ces fantaisies. De quelque rêve qu'elle sortît, Rose-Anna revenait tout droit à ses calculs[43]".

Elle rêve d'une maison idéale baignée progressivement de soleil, mettant ainsi en relief chaque pièce bien éclairée, bien disposée; c'est qu'elle imagine, en fin de compte, sa maison de jeune mariée, alors qu'elle n'avait qu'une enfant et seulement vingt ans. Lorsque Azarius lui propose une excursion à la campagne, elle est transportée "dans les lieux de son enfance[44]", qui revêtent pour elle une qualité presque féerique. Dans son esprit tourbillonne une foule de "délices de son enfance[45]"; comme d'habitude, ce répit n'est que passager, et Rose-Anna est tout de suite ramenée aux préoccupations domestiques auxquelles elle est interminablement en train de vaquer. Les noces de Florentine, pourtant tristes, lui rappellent la journée de ses propres noces, de nouveau envisagée sous une lumière quelque peu féerique (elle revoyait cette journée, "claire, limpide, avec des sons de cloche qui voyageaient par le village et les champs. Elle retrouvait... sur cette route de sa jeunesse, tant de fois, tant de fois parcourue par le souvenir, des joies qui avaient le goût sain et profond des choses de la terre. Et puis, ramenant les yeux sur le désordre qui l'entourait, elle aurait presque haï à cette minute les réminiscences qui avaient occupé son esprit[46]").

Malgré son courage inlassable, sa bonté et sa générosité de coeur presque sans bornes, Rose-Anna doit inéluctablement renoncer à son propre bonheur au nom de celui d'autrui; son accablement devant la vie entraîne souvent l'abnégation d'elle-même au profit des siens. Même devant Dieu, Rose-Anna cherche à se justifier, et finit par se mettre en cause:

> J'ai fait mon devoir, Notre-Seigneur. J'ai eu onze enfants. J'en ai huit qui vivent et trois qui sont morts en bas âge, peut-être parce que j'étais déjà trop épuisée. Et ce petit-là qui va naître, Notre-Seigneur, est-ce qu'il sera pas aussi chétif que les trois derniers[47]?

La quête de la liberté caractérise nombre de romans de femmes écrivains au cours des années soixante; dans les romans de Margaret Laurence, les protagonistes féminins cherchent à se libérer de quelque joug invisible[48].

Dans *Bonheur d'occasion*, Gabrielle Roy se sert de la troisième personne afin de souligner le conflit entre Rose-Anna et sa famille et la société en général, tandis que dans *The Fire-Dwellers,* Margaret Laurence utilise plusieurs modes de narration[49]. Nous connaissons le personnage de Stacey MacAindra surtout grâce à ses monologues intérieurs. En effet, malgré la diversité des modes de narration, Stacey est toujours au centre du récit: le lecteur seul connaît la vie intérieure de celle-ci.

Comme nous l'avons déjà souligné, la situation matérielle de Stacey MacAindra est bien différente de celle de Rose-Anna Lacasse, mais à bien des égards, elles partagent la même vie, nonobstant le décalage dans le temps et l'espace. Bien que la situation socio-économique de Stacey soit nettement supérieure à celle de Rose-Anna (sa famille vit confortablement en milieu bourgeois à Vancouver), elle est en proie à sensiblement les mêmes angoisses, incertitudes et doutes que Rose-Anna. L'identité de Stacey, tout comme celle de Rose-Anna, se limite essentiellement à son rôle d'épouse et de mère. Son aisance matérielle lui accorde un certain luxe inconnu à Rose-Anna: le temps, par moments, de méditer sur son existence et de s'interroger sur le véritable but de sa vie. À travers diverses tentatives de se réaliser en dehors des rôles bien structurés qu'elle doit assumer, Stacey se met continuellement en cause, et dialogue continuellement avec elle-même et avec Dieu. Là où Rose-Anna sollicitait la divine intervention pour secourir les siens, Stacey voit souvent en Dieu un interlocuteur privilégié qui lui permet simplement d'extérioriser ses angoisses

> *At the Day of Judgment, God will say* Stacey MacAindra what have you done with your life? *And I'll say,* Well, let's see, Sir, I think I loved my kids. *And He'll say,* Are you certain about that? *And I'll say,* God, I'm not certain about anything any more. *So He'll say,* To hell with you, then. We're all positive thinkers up here. *Then again, maybe He wouldn't. Maybe He'd say,* Don't worry, Stacey, I'm not all that certain, either. Sometimes I wonder if I even exist. *And I'd say,* I know what you mean, Lord. I have the same trouble with myself[50].

Malgré son angoisse existentielle parfois aiguë, Stacey n'est pas tout à fait dépourvue d'humour, voire d'optimisme. Là où Rose-Anna s'évadait dans ses rêveries, Stacey cherchera quelque consolation devant la difficulté d'être et de vivre, dans l'alcool; d'ailleurs, elle se donne énormément de peine pour dissimuler cette "faiblesse", soucieuse, sans doute, de maintenir ce que l'on convient d'appeler la respectabilité. Mais, tout comme Rose-Anna, et Alexandre Chenevert, Stacey se perd parfois dans des rêveries, dans lesquelles elle est transportée loin de la ville, loin des pressions quotidiennes qui caractérisent sa vie, dans un décor naturel, presque féerique. À l'instar de Rose-Anna et d'autres personnages, elle cherche dans cette nature idéalisée, l'expression de l'innocence perdue. De courte durée, ces rêveries aboutissent d'habitude à des considérations plus terre-à-terre, ou bien à une mise en cause d'elle-même.

Stacey et son mari, Mac, qui nous semble aussi effacé qu'Azarius au sein de sa famille, vivent profondément isolés l'un de l'autre, et éprouvent d'énormes difficultés à communiquer entre eux:

> *Mac?*
> *Yeh?*

> *Oh — nothing. I just thought it [the television picture] was flickering for a minute, there.*
>
> *— Why talk? Mac doesn't like to, and he's right. What good does it do?... In God's name, what is Mac like, in there, wherever he lives.*

Ces dialogues laconiques aboutissent la plupart du temps au silence, et à un monologue intérieur chez Stacey; la perception de Mac par le lecteur est forcément celle de Stacey. Cette absence de communication, qui n'est pas surprenante lorsque l'on connaît l'enfance des deux protagonistes —les deux revivent en quelque sorte la vie et les erreurs de parcours de leurs parents — accentue chez Stacey son sentiment d'isolement. Il n'y a à peu près personne à qui elle peut se confier dans son entourage; sa voisine est un être malheureux, le meilleur ami de son mari se suicidera. C'est pour cette raison qu'elle cherchera une liaison amoureuse mais passagère avec Luke Venturi. Ajoutons en passant qu'une telle aventure chez Rose-Anna, dont nous ignorons l'existence même d'une vie sentimentale, nous semble tout à fait inconcevable.

Stacey a quitté Manawaka, son village natal, à l'âge de dix-neuf ans (rappelons que Rose-Anna en avait vingt lorsqu'elle s'est mariée): elle avait hâte de le quitter et d'être indépendante. Toutefois, elle a échangé l'oppression familiale pour une autre. Elle est profondément marquée par sa mère, qui a vécu son mariage et ses maternités comme un martyre: elle en souffrait et faisait sentir cette souffrance à ses enfants. Stacey et sa soeur, Rachel, sont en quelque sorte des "enfants du devoir". Son père, Niall Cameron, était pour ainsi dire absent pendant l'enfance de Stacey: la solitude de sa mère trouve donc sa réplique dans sa propre solitude. Telle mère, telle fille: les schèmes de pensée, les attitudes, les comportements, se reproduisent de génération en génération. Comment y échapper?

Stacey habite depuis vingt ans Vancouver et ne connaît même pas la ville, ce qui nous rappelle de manière frappante combien est restreint son univers. Elle voit le monde dans lequel elle vit condamné aux Enfers; c'est ainsi qu'abondent les images du feu dans le roman (Gabrielle Roy insiste beaucoup sur les images "infernales" de Saint-Henri dans *Bonheur d'occasion* également[52]):

> *The house is burning. Everything and every one in it. Nothing can put out the flames. The house wasn't fire-resistant. One match was all it took*[53].

Plus loin, elle se promène dans la ville, dont les rues sont habitées par "*the eternal flames of the neon forest fires*[54]"; lorsque l'on évoque devant elle le souvenir d'une famille métisse qui a péri dans un incendie à Manawaka, elle voit soudain ses propres fils dans une maison en feu. Même dans sa propre maison, Stacey n'est pas tout à fait à l'abri de cet environnement menaçant: elle voit à la télévision des images d'une ville en feu, déchirée par des émeutes:

> — *I see it and then I don't see it. It becomes pictures. And you wonder about the day when you open your door and find they've been filming those pictures in your street*[55].

Stacey s'inquiète en voyant grandir ses enfants, et se demande sans cesse si un gouffre de plus en plus profond ne la sépare pas d'eux. Nous avons déjà souligné le déchirement de Rose-Anna Lacasse lorsqu'elle se rend compte que, malgré toute sa volonté, il lui sera impossible de venir en aide à sa propre fille. Déjà, il est difficile pour les deux femmes de s'exprimer avec franchise et de se confier à leurs filles. Or, voici que dans l'univers romanesque de Margaret Laurence, des difficultés semblables de communication surgissent entre les générations. Stacey se met continuellement en cause lorsqu'elle essaie de communiquer avec sa fille, Katie; leur rapport rappelle à Stacey ses relations difficiles avec sa propre mère. Toutefois, il se produira à un moment donné un rapprochement de la mère et de sa fille, semblable à celui qui était survenu entre madame Laplante et Rose-Anna, ou Rose-Anna et Yvonne:

> *Stacey recognizes all at once the way in which she and Katie have been talking.* We. *They have never before encountered one another as persons. At the same time, Katie has been unwittingly calling her* Mum *instead of* Mother[56].

Comment expliquer ce rapprochement? Katie se reconnaît en sa mère, reconnaît en même temps sa condition essentielle de femme; elle semble comprendre, intuitivement pour l'instant, sans doute, l'énorme responsabilité dévolue à la femme en tant qu'être social, en tant que mère. Désormais, elle sera moins portée à reprocher à sa mère ses absences et ses défauts.

À la fin du roman, Stacey se rend compte que le piège dans lequel elle se trouve ne se limite pas aux quatre murs de sa maison, mais embrasse le monde entier, perspective à la fois terrifiante et rassurante; ses tentatives de s'évader du carcan de la domesticité à travers l'alcool et deux liaisons amoureuses, de courte durée, il est vrai, ne lui ont procuré qu'une libération bien mitigée[57].

Rose-Anna Lacasse et Stacey MacAindra sont enfermées dans un rôle social si bien arrêté qu'il nous est difficile de les concevoir en tant qu'individus, en tant qu'êtres autonomes. Tout leur univers se dessine à l'intérieur de l'orbite maternelle; toutes leurs angoisses, leurs inquiétudes, découlent principalement de la réalisation satisfaisante de leurs devoirs de mères et d'épouses. Ces portraits sont à la fois révélateurs, probants et peu reluisants, car, à travers les protagonistes en question, à travers les liens entre les générations d'une même famille, nous découvrons des personnages féminins apparemment condamnés à vivre au service d'autrui, aux dépens de leur propre épanouissement. Depuis longtemps, nous rappelle Margaret Atwood, "les personnages masculins dans la littérature sont conçus comme des individus; les femmes sont plutôt des exemples d'un genre[58]".

Au début du chapitre nous avons évoqué l'image maternisée de la femme dans les littératures québécoise et canadienne; cette image atteint souvent les proportions d'un mythe, et en cela, Roy et Laurence semblent renforcer le mythe, tout en le mettant en cause. Rose-Anna Lacasse et Stacey MacAindra sortent tout droit de l'imagination des deux romancières: elles ne sont ni l'une ni l'autre une reconstitution fictive de la Femme ou de la Mère, mais représentent plutôt une multitude de femmes et de mères. Leur sort dans la vie n'est guère enviable, mais les Rose-Anna et Stacey abondent dans les sociétés québécoise et canadienne. Ni l'une ni l'autre ne semble pouvoir agir efficacement, ne semble exister vraiment en tant que femme; malgré cela, leurs vies sont en quelque sorte exemplaires, dans la mesure où Roy et Laurence les investissent de qualités universelles. Si nous ne sommes pas indifférents à leur sort, si nous reconnaissons dans leur vie l'extrême complexité et la profonde angoisse existentielle de tout être, de toute vie, c'est en grande partie grâce à l'efficacité de l'écrivain qui arrive à condenser toutes "les directions infinies de [la] vie possible" de ses personnages. Les portraits de Rose-Anna et de Stacey sont parmi les plus riches, les plus denses et les plus nuancés qu'il nous sera donné d'étudier dans l'oeuvre romanesque de Roy et de Laurence. Toutefois, en examinant de près certains personnages d'une moindre importance, il nous sera possible d'accentuer, éventuellement, quelques-unes des correspondances déjà soulignées entre l'univers romanesque de Gabrielle Roy et de Margaret Laurence.

Luzina Tousignant et May Cameron

L'étude de Luzina Tousignant (*la Petite Poule d'Eau*) et de May Cameron (*A Jest of God*) nous semble pertinente dans la mesure où ces deux personnages, mères de famille avant tout, cherchent à retenir auprès d'elles leurs enfants, bien que les mobiles de chacune soient différents, ainsi que les moyens employés. Le portrait de Luzina est foncièrement plus positif que celui de Rose-Anna Lacasse; rappelons que dans la chronologie de l'oeuvre, *la Petite Poule d'Eau* est le deuxième roman de Gabrielle Roy. Or, ce contraste saisissant, entre autres, annonce une tension fondamentale qui marquera désormais non seulement l'élaboration de l'oeuvre romanesque de Gabrielle Roy, mais aussi la conception de ses personnages. En revanche, *A Jest of God* est le troisième roman de Margaret Laurence mais le deuxième volet du cycle de Manawaka.

Luzina Tousignant habite une île dans le Nord du Manitoba, île dont elle est, en quelque sorte, prisonnière. C'est grâce surtout à ses grossesses qu'elle en sort une fois par année: ses voyages vers Dauphin, où elle met régulièrement au monde des enfants, représentent pour elle de véritables vacances; au contraire, les nombreuses et épuisantes grossesses de Rose-Anna Lacasse sont toujours rendues plus pénibles par le déménagement annuel de la famille. Donc, pour Luzina, la maternité est à la fois contrainte et source de libération mais bien conditionnelle, une façon d'assouvir "son appétit de l'inconnu[59]". Comme d'autres mères dans l'oeuvre romanesque de Roy et de Laurence, Luzina est pénétrée d'un fort sentiment d'abnégation, surtout lorsqu'il s'agit du bonheur d'autrui. Toutefois, elle accepte les plaisirs que lui procurent ses voyages, mais seulement dans la mesure où ils apportent "de justes compensations à l'accomplissement du devoir[60]". Sa vision de l'humanité est généreuse et optimiste; néanmoins, quand il est question de se reprocher quelque défaut, elle est souvent très sévère: "Quelle sorte de femme était-elle pour négliger ainsi son devoir! À chacun sa tâche dans la vie: à la maîtresse d'expliquer, aux enfants d'apprendre; et à elle, Luzina, de les servir[61]".

La tendresse et l'inquiétude, tout comme la vie et la mort chez Rose-Anna, ne font jamais qu'un chez Luzina; en réalité, chez Roy et Laurence, l'optimisme n'est jamais tout à fait dépourvu de pessimisme. La famille Tousignant est très liée, très unie, surtout à cause de l'isolement, et imagine difficilement la séparation. Luzina donne à ses enfants des prénoms composés afin de se donner l'illusion d'accélérer le peuplement de leur île. Elle est profondément peinée par l'idée que ses enfants la quitteront, un à un, pour parfaire leur instruction ailleurs; naïvement, elle a cru, en voyant à faire venir l'instruction, les retenir auprès d'elle. Armand Dubreuil, l'instituteur, saisit bien son dilemme:

> Qu'est-ce qui sortirait de tout cela? Peut-être bien du chagrin pour la pauvre maman Tousignant. Q'est-ce qui sortirait bien de tout cela? Du mécontentement d'abord qui est à la source de tout progrès. Et puis après[62]?

Lorsque sa fille Joséphine quitte la maison paternelle, Luzina se rend compte de la nature irréversible de ce processus:

> Pendant longtemps elle avait été la seule à voyager. Presque tous les ans elle partait, et elle faisait vite afin de revenir avec un enfant de plus contre le désert à peupler. Maintenant, elle restait, et c'étaient les enfants qui partaient. Luzina voyait en quelque sorte la vie. Et elle n'en croyait pas son bon coeur: la vie qu'elle avait tant aidée, déjà, petit à petit, l'abandonnait[63].

Luzina, comme Stacey MacAindra, se croit parfois incomprise par les siens; il y a peu d'indices dans son récit qui nous portent à croire qu'elle aspire à être autre chose qu'une mère de famille. Toutefois, elle est grandement bouleversée par les encouragements que lui adresse Mlle Côté quant à ses aptitudes à apprendre. Luzina, qui se voue corps et âme à la réalisation de son rêve d'une école dans l'île, ne semble penser que brièvement à parfaire sa propre éducation.

L'homme agit, la femme est, selon le poète Robert Graves[64]; Luzina subit ses grossesses à contre-coeur; son dernier enfant arrive lorsqu'elle a quarante-six ans. Cette enfant sera la grande consolation de ses vieux jours.

L'univers de May Cameron dans *A Jest of God* s'est toujours limité à sa maison, et à un nombre décroissant d'amies. Elle fait de sa maison et de ses souvenirs une prison. Entre elle et son mari, Niall, nous constatons le même manque de communication que nous avons souligné chez Rose-Anna et Azarius, chez Stacey et Mac; en réalité, les Cameron avaient renoncé au dialogue avant la naissance de leur fille, Rachel.

Son mariage ayant été un supplice, il ne reste que peu de consolations à madame Cameron. Elle cherche à retenir auprès d'elle sa fille, Rachel, institutrice célibataire, par toutes sortes de ruses, surtout en simulant des faiblesses cardiaques. Selon Rachel, "*her weapons are invisible, and she would never admit even to carrying them, much less putting them to use*[65]". Femme du devoir, entièrement soumise à son mari (*Niall always thinks I am so stupid*[66]), May Cameron empêche la libération de Rachel, ayant été prisonnière elle-même. Elle surveille tout, s'occupe des moindres et plus intimes détails de la vie de sa fille, bref, la traite comme une adolescente. "*It isn't as though I expect you to tell me everything you do. I mean, after all, it is your life, isn't it*[67]".

Florentine Lacasse et Rachel Cameron

Gabrielle Roy et Margaret Laurence portent une attention particulière aux liens qui unissent les mères de famille et leurs enfants, surtout leurs filles. Nous avons remarqué l'influence primordiale qu'exercent les parents proches et les ancêtres dans la vie des personnages des deux romancières. L'étude de Florentine Lacasse et de Rachel Cameron nous permet de constater l'influence essentiellement négative des mères auprès de leurs enfants, tantôt malgré elles, tantôt en raison d'une véritable emprise motivée par l'égoïsme, à l'endroit de leurs filles. Précisons d'emblée que Florentine et Rachel vivent des relations difficiles avec leurs mères: l'une et l'autre se trouvent dans une situation de dépendance vis-à-vis elles, Florentine pour des raisons économiques, Rachel pour des raisons psychologiques. Les pères de l'une et l'autre exercent une influence plutôt par leur absence que par leur présence. Les deux filles chercheront à se libérer par le biais de l'amour, tentatives vouées à l'échec.

Florentine Lacasse, petite serveuse du *Quinze-Cents*, dont le travail l'irrite et l'humilie, soit dit en passant, est "moitié peuple, moitié printemps gracieux, printemps court, printemps qui serait tôt fané[68]"; être malheureux qui souffre physiquement et psychologiquement de la pauvreté, elle joue "tout son charme physique dans un terrible enjeu pour le bonheur[69]". Elle éprouve un désir profond de s'affranchir de la pauvreté, du quartier de Saint-Henri, de la maison des Lacasse, laide et trop remplie d'enfants. Son sort, comme celui de Rose-Anna, auquel le sien semble inextricablement lié, et celui de Luzina Tousignant, est bien arrêté: "Servir, toujours servir[70]"! Pour elle, le bonheur équivaut purement et simplement à l'aisance matérielle:

> Elle passa en revue tous les colifichets qu'elle avait désirés et, s'en voyant parée, elle décida d'acheter celui-ci, de rejeter celui-là. Elle s'évertuerait tellement à mettre dans sa vie toutes les apparences du bonheur, que le bonheur y viendrait faire sa place[71].

Le désir de Florentine de s'approprier l'amour de Jean Lévesque aboutira, comme tout dans sa vie, à une amère déception. L'amour, comme le bonheur, est illusoire. Pour elle, Jean incarne "la grande ville grisante, bien vêtue, bien nourrie, satisfaite...[72]"; pour Jean, elle est "sa misère, sa solitude, son enfance triste, sa jeunesse solitaire; elle [est] tout ce qu'il avait haï, ce qu'il reniait et aussi ce qui restait le plus profondément lié à lui-même, le fond de sa nature et l'aiguillon puissant de sa destinée[73]". Nous nous rendons vite compte que Florentine n'aime pas vraiment Jean; néanmoins,

> il faudra que celui-ci l'ait violée, puis abandonnée, pour qu'elle comprenne que le véritable attrait du jeune homme pour elle, c'était ce visage séduisant de la réussite qu'il donnait à l'existence démunie de Saint-Henri. Elle s'acharne à se faire aimer avec le même impétueux entêtement qu'elle mettra à réorganiser sa jeune vie lourdement hypothéquée[74].

Devant tant de souffrances, il n'est pas étonnant que Florentine, comme d'autres personnages de Roy et de Laurence que la vie accable, soit extrêmement encline à l'évasion, et se réfugie souvent dans ses pensées.

Florentine aperçoit la vie de sa mère "comme un long voyage gris, terne, que jamais, elle...n'accomplirait[75]"; lorsque Rose-Anna passe à l'improviste au magasin où travaille sa fille, celle-ci est littéralement atterrée de voir sa mère en plein jour, telle qu'elle est. Parce que lui incombe le bien-être de toute la famille Lacasse, Rose-Anna semble porter le plus lourd fardeau de tous: Florentine en est très consciente:

> Pour la première fois de sa vie, elle voyait Rose-Anna dans une robe poussiéreuse et les cheveux défaits. Et l'accablement de celle-ci qui, à travers tous les malheurs, était pourtant jusque-là restée vaillante, lui apparut comme le signe certain de leur effondrement à tous, de son effondrement à elle en particulier[76].

Plus tard Florentine apercevra sa mère, sur le point d'accoucher encore une fois, allant et venant avec peine: dans son esprit, elle se voit, elle-même, ainsi déformée.

Dans *A Jest of God*, le récit s'élabore à partir de la seule perspective de Rachel Cameron; elle a alors trente-quatre ans. Son père étant mort, sa soeur aînée, Stacey, étant partie depuis longtemps de Manawaka (avec une détermination qui laisse toujours songeuse sa soeur), Rachel vit avec sa mère. Le roman est une sorte de longue réflexion de Rachel sur elle-même et les gens qui l'entourent; très portée au monologue intérieur, elle a peur néanmoins de devenir excentrique; dans ses jugements, elle entend souvent l'écho de la voix de sa mère.

Niall Cameron, son père, comme tous les pères dont nous avons parlé jusqu'à présent, est très effacé; entrepreneur de pompes funèbres, il vit la plupart du temps dans son salon mortuaire, à l'écart de sa femme et ses filles. La jeune Rachel, gênée par le métier qu'exerce son père, ne le connaît par conséquent que très peu. Lorsque lui viendra à l'esprit l'idée de mieux connaître son père, il sera trop tard.

Les Cameron ont déjà cessé de communiquer entre eux lorsque Rachel est née; et dans la famille, toute manifestation d'émotion est systématiquement proscrite. Il existe donc un gouffre profond entre Rachel et sa mère.

Comme Florentine, Rachel cherchera dans l'amour un moyen de se libérer des contraintes de la vie quotidienne; toutefois, sa liaison avec Nick Kazlick, un ancien camarade de classe qui vient passer l'été à Manawaka, sera aussi un échec. Rachel trouve attrayant Nick pour la même raison que Florentine trouve attrayant Jean: les deux hommes représentent quelque chose qui manque dans l'univers des deux femmes; dans le cas de Nick, une certaine liberté, une certaine spontanéité; un attrait semblable existe entre Hugar Currie et Bram Shipley. Qui plus est, Rachel se croira enceinte, bien qu'il s'agisse en réalité d'une tumeur bénigne qu'elle portera en elle. Cet "accouchement" de tissus morts, et non de vie régénérée, symbolise de manière éloquente la stérilité de la vie de Rachel.

Dans *Bonheur d'occasion*, avec une cruelle ironie, la guerre offre à certains personnages, dont Florentine, une possibilité de salut, bien que précaire. Florentine n'aime pas Emmanuel mais lui porte plutôt une sorte de gratitude; au moment de constater qu'elle est contente d'elle-même, "satisfaction qu'elle n'avait jamais éprouvée, ... elle reconnut qu'elle commençait vraiment une autre vie[77]". Du même coup, l'avenir lui semble moins sombre; comme sa mère, elle passe aussitôt après à ses calculs.

Pour Rachel Cameron, le seul dénouement possible à l'impasse totale qu'est devenue sa vie, sera de tout recommencer. Elle décide de partir pour Vancouver; elle a déjà envisagé de partir, de recommencer ailleurs, mais a toujours hésité à faire part de sa décision à sa mère, de crainte que celle-ci ne subisse une crise cardiaque; elle se demande même pourquoi elle s'est toujours obstinée à vouloir protéger à tout prix sa mère, la conserver pour l'éternité, comme "*a dried flower*[78]". Elle se sent énormément soulagée en se rendant compte qu'elle n'est pas seule responsable de la vie de sa mère; en réalité, cette responsabilité ne lui a jamais incombé seule. Ainsi, Rachel devient la mère, madame Cameron, l'enfant. Même si l'une et l'autre continueront à maintenir les liens de dépendance qui ont existé depuis longtemps entre elles, Rachel accepte de changer (pour sa mère il est trop tard), envisage l'avenir sous une lumière moins sombre, et fait même preuve d'optimisme à cet égard. Cet optimisme est empreint d'incertitude, toutefois: Rachel entrevoit la possibilité de se marier, d'avoir ses propres enfants, ou bien d'avoir toujours des enfants "provisoires", ceux de l'institutrice. Elle pense devenir peut-être plus excentrique, même folle:

> *Where I'm going, anything may happen. Nothing may happen... I will be light and straight as any feather. The wind will bear me, and I will drift and settle, and drift and settle. Anything may happen, where I'm going.*
>
> *I will be different. I will remain the same*[79].

Les portraits des personnages féminins que nous venons d'étudier nous permettent de découvrir des correspondances frappantes dans la conception de ces personnages, surtout pour ce qui a trait à la mère, chez Roy et Laurence. Les femmes qui sortent de l'imagination des deux romancières existent surtout en tant que mères, à savoir, en fonction d'un rôle social bien dessiné, et non en tant qu'individus, sont toutes en proie à des angoisses existentielles exacerbées par leur situation familiale, par un environnement souvent physiquement menaçant, et par l'incompréhension de leurs proches. Leurs possibilités d'épanouissement sont extrêmement restreintes, sinon inexistantes. Pour elles, l'amour est aussi éphémère que le bonheur.

Chez Roy et Laurence, le destin des enfants est étroitement lié à celui des parents; parfois, cela implique qu'une génération pourra difficilement espérer s'améliorer par rapport à la précédente, ou si elle atteint une certaine autonomie, même mitigée, ce sera au prix de grands sacrifices physiques et spirituels. Il est saisissant de constater que la mère sert de modèle à tous les personnages dont nous venons de parler: même Rachel, en évoquant ses charges à l'école, parle de "ses enfants".

Cette première étape de notre étude des personnages chez Roy et Laurence nous amène à d'autres correspondances frappantes en ce qui concerne les types de personnages qui peuplent l'oeuvre romanesque des deux. Dans un premier temps, nous nous sommes intéressés à la mère, être marginalisé par excellence dans les littératures québécoise et canadienne; dans un deuxième temps, nous examinerons deux personnages, également marginalisés, qui vivent à l'écart de la société, en grande partie de leur plein gré.

---

1 *Notre société et son roman* (Montréal: HMH, 1972), p. 53.

2 "*The Religion of the Country*", *Spit Delaney's Island* (Toronto: Macmillan, 1977), p. 109.

3 Michel Zéraffa, *Roman et société* (Paris: PUF, 1971), p. 164.

4 Roland Bourneuf et Réal Ouellet, *L'Univers du roman* (Paris: PUF, 1975), p. 150.

5 *Une littérature en ébullition* (Montréal: Éditions du Jour, 1968), p. 224.

6 Voir par exemple *Judith Hearne* et *I am Mary Dunne* de Brian Moore.

7 Jean-Charles Falardeau, *Littérature et société canadiennes-françaises* (Québec: PUL, 1964), p. 129.

8 Susan Jackel, "*The House on the Prairies*", *Writers of the Prairies* Ed. Donald Stephens (Vancouver: UBC Press, 1973), p. 165.

9 *Ibid.*, p. 167.

10 Ne faudrait-il parler en même temps de Hagar Shipley, personnage très nuancé et dont la personnalité domine tout le récit? Il faut reconnaître que ce n'est qu'à la fin de sa vie qu'elle s'accepte et assume l'entière responsabilité de ses gestes.

11 *Convergences* (Montréal: HMH, 1969), p. 105.

12 *Ibid.*, p. 70.

13 Falardeau, *Notre société et son roman*, p. 53.

14 *Id.*, *Imaginaire social et littérature* (Montréal: HMH, 1974), p. 43.

15 Cité par Bourneuf et Ouellet, *op. cit.*, p. 172.

16 Anne Lemonde, "Le personnage masculin dans l'oeuvre romanesque de Gabrielle Roy", Thèse de Maîtrise, Université McGill, 1976, p. 42.

17 Falardeau, *Notre société et son roman*, p. 52. Selon l'auteur, "ce sont des êtres traqués" tout comme les personnages des *Gens de Dublin* de James Joyce.

18 Hugo McPherson, introduction to *The Tin Flute* (Toronto: McClelland & Stewart, NCL no. 5, 1958), p. viii.

19 Michel Gaulin, "Le monde romanesque de Roger Lemelin et de Gabrielle Roy", *Archives des lettres canadiennes*, Tome 3, *Le roman canadien-français* (Montréal: Fides, 1971), p. 143.

20 *Ibid.*, p. 146.

21 Voir la page 63.

22 *BO*, pp. 181-82.

23 *Ibid.*, p. 352.

24 *Ibid.*, p. 221.

25 *Ibid.*, p. 102.

26 *Ibid.*, p. 195.

27 *Ibid.*, pp. 69-70.

28 *Ibid.*, p. 214.

29 *Ibid.*, p. 98.

30 Suzanne Paradis, *Femme fictive, femme réelle* (Québec: Éditions Garneau, 1966), p. 46.

31 Gabrielle Roy, "Retour à Saint-Henri: Discours de réception à la Société royale du Canada), *FLT*, p. 175.

32 *BO*, p. 99.

33 *Ibid.*, p. 167.

34 Voir Margaret Atwood, *Survival* (Toronto: Anansi, 1972), p. 131.
Selon Atwood, la famille dans la littérature canadienne est souvent conçue comme un piège dans lequel le protagoniste est pris; là où un protagoniste dans la littérature américaine ressentirait le besoin de s'en détacher, le protagoniste canadien est souvent incapable de le faire.

35 *BO*, p. 76.

36 *Ibid.*, p. 370.

37 *Ibid.*, p. 198.

38 *Ibid.*, p. 202.

39 *Ibid.*

40 *Ibid.*, p. 202.

41 *Ibid.*, p. 353.

42 *Ibid.*, p. 76.

43 *Ibid.*, p. 99.

44 *Ibid.*, p. 173.

45 *Ibid.*

46 *Ibid.*, p. 348.

47 *Ibid.*, p. 102.

48 Voir Patricia Morley, "*The long trek home: Margaret Laurence's stories*", *Journal of Canadian Studies/Revue d'études canadiennes*, 11, No. 4 (November 1976), p. 20. Pour Hagar Shipley, il s'agit de la tyrannie de la vieillesse; pour Rachel Cameron, la domination de sa mère; pour Stacey MacAindra, la routine ennuyeuse du mariage; pour Morag Gunn, un passé pénible.

49 Allan Bevan, introduction to *The Fire-Dwellers* (Toronto: McClelland & Stewart, NCL no. 87, 1973), p. ix. Très schématiquement, la narration s'organise de la façon suivante: les pensées de Stacey sont introduites par un trait d'union; ses souvenirs sont mis en relief par l'alinéa; ses fantaisies sont en italiques; les nouvelles radiophoniques et télévisuelles qui ponctuent le récit à intervalles plus ou moins réguliers sont en majuscules; les commentaires du narrateur derrière Stacey sont imprimés normalement sans traits d'union ni italiques; les conversations sont présentées sans notation aucune.

50 Margaret Laurence, *The Fire-Dwellers* (Toronto: McClelland & Stewart-Bantam, 1978), p. 8.
Lors du jugement dernier, Dieu dira: *Stacey MacAindra, qu'as-tu fait de ta vie?* Et je répondrai: *Eh bien, voyons, Seigneur, je pense avoir aimé mes enfants.* Et Il répondra: *En es-tu certaine?* Et moi de dire: *Seigneur, je ne suis plus certaine de rien.* Alors Il dira: *Au diable, toi. Ici, il faut être plus positif.* À bien y penser, peut-être qu'Il ne le dirait pas. Peut-être dirait-Il plutôt: *Ne t'en fais pas, Stacey, j'ai des doutes, moi aussi: il m'arrive parfois de douter même de mon existence.* Et moi, je dirai: *Je te comprends parfaitement, Seigneur. J'ai le même problème.*

51 *FD*, pp. 110-11.
Mac?
Hein?
Euh — rien. Je pensais que l'image vacillait, là.
— À quoi bon parler? Mac n'aime pas le faire, et il a raison. À quoi ça sert? ...Bon Dieu, comment est-il, Mac, là dans son for intérieur, là où il vit?

52 Voir par exemple les pages 34, 37-38, 182, 386.

53 *FD*, p. 135. *La maison brûle.* Tout et tous brûlent. Rien ne peut éteindre les flammes. La maison n'était pas ignifuge. Il a suffi d'allumer une seule allumette.

54 *Ibid.*, p. 148. ...les flammes éternelles des incendies de forêt au néon...

55 *Ibid.*, p. 274. — Je le vois, puis je ne le vois pas. Ce sont des images. Et un beau jour, vous ouvrirez la porte chez vous pour apprendre que ces images ont été prises dans votre rue.

56 *FD*, p. 187. Stacey se rend compte tout à coup de la façon dont elle et Katie se parlent. *Nous.* Elles ne se sont jamais recontrées, auparavant, en tant qu'individus. En même temps, peut-être sans le savoir, Katie l'appelle *Mum* au lieu de *Mother*.

57 *FD*, introduction (Toronto: McClelland & Stewart, 1973), p. xiv.

58 Margaret Atwood, "*The curse of Eve — Or, What I Learned in School*", *Women on Women, The Gerstein Lecture Series 1975-76, York University*. York University, 1978, 13-26.

59 Gabrielle Roy, *la Petite Poule d'Eau* (Montréal: Éditions internationales Alain Stanké, 1980), p. 109.

60 *Ibid.*, p. 18.

61 *Ibid.*, p. 83.

62 *Ibid.*, p. 124.

63 *Ibid.*, pp. 146-47.

64 Cité par Margaret Atwood, "*The curse of Eve...*", p. 32. *For Graves, man does, woman simply is.*

65 Margaret Laurence, *A Jest of God* (Toronto: McClelland & Stewart-Bantam, 1977), p. 50. Ses armes sont invisibles, elle n'en admettrait jamais l'existence, encore moins le fait de s'en servir.

66 *Ibid.*, p. 228. Niall me croit si stupide.

67 *JG*, p. 97. Loin de moi de vouloir savoir tout ce que tu fais. Je veux dire, après tout, c'est ta vie, n'est-ce pas?

68 *BO*, p. 30.

69 *Ibid.*, p. 20.

70 *Ibid.*, p. 19.

71 *Ibid.*, p. 257.

72 *Ibid.*, p. 21.

73 *Ibid.*, p. 209.

74 Suzanne Paradis, *op. cit.*, p. 50.

75 *BO*, p. 120.

76 *Ibid.*, p. 262.

77 *Ibid.*, p. 383.

78 *JG*, p. 237.

79 *Ibid.*, p. 245. Là où je vais, tout peut m'arriver. Il se peut aussi bien que rien ne m'arrive... Je serai légère et droite comme une plume. Le vent m'emportera et je me laisserai aller et m'arrêterai à ma guise. Il peut m'arriver tout, là où je vais.
Je serai différente. Je demeurerai inchangée.

CHAPITRE V

LES PERSONNAGES EN MARGE DE LA SOCIÉTÉ

Il rêvait du bonheur, dès qu'il serait sur le point de quitter la terre, d'être soigné, compris, regretté peut-être...

Alexandre Chenevert[1]

To move to a new place — that's the greatest excitement. For a while you believe you carry nothing with you — all is canceled from before, or cauterized, and you begin again and nothing will go wrong this time.

Hagar Shipley[2]

Alexandre Chenevert et *The Stone Angel* se détachent très nettement de l'oeuvre romanesque de Gabrielle Roy et de Margaret Laurence en raison de la densité psychologique remarquable d'Alexandre Chenevert et de Hagar Shipley, qui dominent très largement les récits dont ils sont l'objet. En effet, Roy et Laurence, tout en s'intéressant au contexte social d'où surgissent ces deux personnages à la fois semblables et dissemblables, s'attachent davantage à leur personnalité propre. Alexandre Chenevert est à la fois homme universel, héros et anti-héros; cette apparente contradiction n'est que le reflet des nombreuses contradictions qui marquent sa vie; son récit, dans ce qu'il revêt d'universalisme et d'individualisme, est susceptible de nous toucher encore aujourd'hui. Il est, pour ainsi dire, un être innombrable, dont l'espèce existe à des milliers d'exemplaires dans la société. Hagar Shipley est l'archétype même de la mère dominatrice, chef de famille à personnalité forte et nuancée, qui figure dans un nombre significatif de romans québécois et canadiens contemporains[3]. Alexandre et Hagar sont tous les deux des êtres malheureux, hantés par le passé, mal dans leur peau au présent, angoissés par l'avenir. Les deux, coupés d'eux-mêmes et d'autrui par leur incapacité de communiquer, et dans le cas de Hagar, par son immense orgueil, sont des marginaux qui vivent en exil dans la société où ils évoluent. C'est seulement au seuil de la mort, après un lent cheminement vers la connaissance de soi, que les conflits intérieurs qui les tiraillent seront au moins en partie résolus.

Tout le caractère d'Alexandre Chenevert se devine dans le portrait physique que nous présente Gabrielle Roy au début du roman:

> C'était un homme petit, chétif, avec un immense front soucieux. Deux plis profonds enserraient sa bouche aux lèvres minces, tirée par des crampes d'estomac ou peut-être simplement par la complexité affreuse de la vie, que parfois il s'imaginait être le seul au monde à ressentir... Sur le côté de la tête, deux avares mèches de cheveux se redressaient, rebroussées par les mouvements de l'insomnie. Le nez assez long, un peu recourbé, lui donnait quelque ressemblance avec ces oiseaux de proie très solitaires, peut-être malheureux, et que l'on dit méchants[4].

Employé de banque depuis trente-quatre ans, Alexandre est "émotif, susceptible, très nerveux[5]"; il s'éveille continuellement la nuit en raison de toutes sortes de préoccupations. Vivant dans un monde où "la justice [s'obtient] au moyen de terribles pressions[6]", il est littéralement bombardé d'informations qu'il cherche vainement à ordonner: par moments, la condition humaine lui paraît insoutenable. Malgré qu'il se soucie sans répit du sort de l'humanité, Alexandre doit avouer que rien de tout ce qui le préoccupe (la guerre — "qui a énormément augmenté [ses] connaissances géographiques[7]" — les traités, la bombe atomique) n'est en son pouvoir. Petit homme à sa place, invisible pour ainsi dire, il s'imagine atteint d'un cancer d'estomac, perspective réjouissante à ses yeux, "comme s'il devait atteindre par là du moins à une destinée tout à fait personnelle[8]". Ne manquant pas d'imagination, Alexandre "se figurait n'être pas fait pour le temps où il vivait[9]"; il prend parfois des résolutions de tout changer dans sa vie, de retrouver le repos, la bonne santé, d'aimer et d'être aimé. En dépit de ses bonnes intentions, il devient de plus en plus nerveux, désemparé, devant la vie. Sa nervosité frôle souvent la paranoïa; lorsque les bruits ambiants de son quartier l'empêchent de dormir la nuit, il s'imagine victime d'un vaste complot de la part de la société entière, liguée contre lui. À la cafétéria, il se met à compter la petite monnaie: "jamais dans le siècle il ne fallait cesser une minute d'être sur ses gardes[10]". La plupart du temps, il se voit comme un personnage inoffensif, mais il lui arrive, à d'autres moments, de voir "dans son propre coeur tel qu'il devait être aux yeux des autres: un homme aigre, contrariant, et qu'il eût été le premier à ne pouvoir supporter[11]". Cherche-t-il à se singulariser, comme le lui reproche son ami Godias?

Hagar Shipley est également un être tragique; alors que la cage de verre de la banque symbolise bien l'aliénation et l'isolement d'Alexandre Chenevert à l'intérieur de lui-même et au sein de la société, l'ange de pierre qui veille sur le cimetière de Manawaka symbolise bien l'aveuglement de Hagar. Cet ange (symbole d'orgueil et non d'amour, que son père a fait venir à grands frais d'Italie non seulement pour perpétuer la mémoire de sa femme, mais aussi afin de "proclamer sa dynastie...à tout jamais[12]") est doublement aveugle: il est taillé de marbre, et l'artisan qui l'a sculpté a négligé de lui donner des orbes oculaires.

Lorsque nous rencontrons Hagar pour la première fois, elle a quatre-vingt-dix ans et est "envahie de souvenirs[13]". Sa perception d'elle-même et de ses proches est très largement déformée par les tragédies qui ont marqué sa vie, tragédies dont elle était souvent la principale responsable. La fin de sa vie, pendant laquelle elle "revit" certains moments surtout malheureux de son existence, se résume à une lutte acharnée pour conserver son autonomie; amère, orgueilleuse, physiquement malade (comme Alexandre, elle est atteinte d'une tumeur maligne, mais on lui cache la gravité de sa maladie, tout comme le font les proches d'Alexandre), son voyage vers la connaissance d'elle-même, qui lui procurera une paix bien mitigée, sera entrepris malgré elle. Son obstination, son entêtement, sa nature belliqueuse s'y opposeront très fortement.

Il est intéressant de noter l'utilisation que fait Margaret Laurence des noms bibliques; en se servant de la mythologie biblique, elle vise l'évocation de l'aspect universel de la nature humaine[14]. Hagar Shipley est exilée dans le désert de ses propres émotions. Depuis dix-sept ans, elle habite avec son fils, Marvin, et Doris, sa femme. Ses seules consolations dans la vie à la fin de ses jours sont la chicane et la cigarette, cette dernière habitude acquise seulement dix ans plus tôt afin de contrecarrer l'ennui. Incorrigible, inconvertie, Hagar se désespère de changer ses habitudes, et réagit toujours trop vivement à la moindre provocation. Obsédée par les manières, les apparences, elle garde jalousement tout dans son coeur; elle ne peut supporter d'être redevable à qui que ce soit. Son coeur, d'ailleurs, comme celui d'Alexandre, semble condamné à s'user en regrets: elle se demande souvent pourquoi l'on se rend compte parfois trop tard des choses de la vie; pour elle, il s'agit de "plaisanteries de Dieu[15]". Très souvent portée à juger sévèrement les siens, elle reconnaît l'incertitude de ces jugements envers les êtres qui lui sont les plus proches: "*Maybe one looks at them too much. Strangers are easier to assess*[16]".

Comme Alexandre, Hagar n'est pas indifférente à la bonté d'autrui, malgré son esprit d'indépendance presque féroce. Lorsqu'une jeune fille cède sa place dans l'autobus à Hagar, celle-ci, non sans gêne, se laisse emporter par l'émotion, et cherche à dissimuler ses larmes: elle est frappée d'une certaine incongruité dans sa conduite: la mort de son mari et de son fils n'a suscité aucune larme chez elle; en revanche, elle fond presque en larmes pour une raison tout à fait banale. En vain, elle cherche à se l'expliquer.

Alexandre Chenevert et Hagar Shipley semblent nés pour souffrir, comme le révèle un examen même rapide de leur enfance, de leurs rapports avec leurs parents, dans un premier temps, et avec leurs propres époux et enfants, plus tard.

L'enfance d'Alexandre est profondément marquée par un père maladif et morose, et une mère envahissante et possessive. Même à l'âge adulte, il lui arrive parfois de lancer une "espèce de cri désolé...dans le vide vers sa mère morte depuis des années...au hasard de ses rêveries, seul, la nuit[17]". Le souvenir de son manque de patience envers sa mère le hante et le porte à une plus grande patience que sa seule humeur ne le lui dicterait, normalement, à l'endroit des étrangers. "Ne pas avoir assez aimé quand il en était temps était l'épreuve d'Alexandre[18]". Il lui est d'une mince consolation de se rendre compte, à travers sa vie, que l'"on n'aimait jamais assez les vivants[19]". Toutefois, Alexandre se rend compte aussi qu'il agit parfois comme sa mère: "Était-ce donc inévitablement par ce qu'on aimait le moins en soi que l'on restait si bien lié aux autres[20]"? Cette réflexion explique sans doute son amitié pour Godias; dans ses conversations avec celui-ci, Alexandre se sert des mêmes expressions que sa mère, "quand elle n'espérait plus faire entendre raison à son fils[21]". L'expérience serait-elle donc une "vérité somme toute incommunicable[22]"?

Jason Currie, le père de Hagar, est un véritable *pater familias*, avare de son temps et de ses paroles; s'étant fait lui-même à partir de rien, comme il se complaît à le rappeler à ses enfants, il dispense généreusement toutes sortes de platitudes sur le travail, le sacrifice et les éventuelles récompenses à espérer de la vie. La mère de Hagar, femme effacée, gracieuse et nonchalante, meurt à la naissance de son unique fille (assez ironiquement, Mat et Daniel, ses deux fils, lui ressembleront, tandis que Hagar manifestera plutôt la hardiesse qui caractérise son père). Les grands espoirs que fondait Jason Currie sur ses deux fils pour la suite de sa dynastie seront sans lendemains.

Le père est froid et distant: il n'appelle jamais Hagar par son prénom, l'appelant plutôt *miss* lorsqu'il est mécontent, et *daughter* lorsqu'il est de bonne humeur. Cette même distance, cette même froideur marquent définitivement les rapports de Hagar avec ses frères; Daniel mourra jeune de pneumonie; Hagar avouera elle-même ne pas avoir bien connu Matt.

Envoyée à une école où l'on parachève l'éducation des jeunes filles dans l'Est du Canada où elle apprend la broderie, le français, la poésie, comment planifier un repas à cinq couverts, comment diriger les domestiques, Hagar revient à Manawaka, transformée, sa réussite prouvant celle de son père. Il va sans dire que son éducation ne l'a nullement préparée à affronter la vie qu'elle allait vivre; son père la considère comme un investissement, que sa fille sentira l'obligation de lui rembourser par la suite. Il s'oppose à ce qu'elle accepte un poste d'institutrice dans un village éloigné; Hagar se rebelle, et se marie avec Bram Shipley malgré l'interdiction de son père et à son plus grand regret. Jason Currie espérait mieux pour sa fille. Le regret de ne pas avoir écouté son père (bien qu'elle se soit révoltée contre la nécessité de toujours se plier à sa volonté) ressemble étrangement à celui d'Irène Chenevert, dont le mariage a été fortement déconseillé par Alexandre.

Plus tard, les enfants semblent fatalement condamnés à répéter les erreurs de leurs parents. Hagar imposera de la même façon ses quatre volontés à son fils, John, à qui elle défendra de se marier avec la fille qu'il a choisie. Aussitôt après, les deux jeunes gens trouveront la mort dans un accident insensé. Même accablée de douleur, Hagar essaie de repousser la volonté d'autrui de la consoler:

> *I straightened my spine, and that was the hardest thing I've ever had to do in my entire life, to stand straight then. I wouldn't cry in front of strangers, whatever it cost me... The night my son died I was transformed to stone and never wept at all... All the night long, I only had one thought — I'd had so many things to say to him, so many things to put to rights. He hadn't waited to hear*[23].

Nous connaissons Eugénie Chenevert seulement dans l'optique d'Alexandre; son portrait moral et physique, comme celui de Bram Shipley, est peu flatteur. C'est "une femme en qui tout est médiocre, entre deux âges, ...compagne avec laquelle Alexandre Chenevert n'a jamais communiqué. ...Peut-être parce que son petit drame personnel —la médiocrité — se trouve noyé dans la description...des sentiments de son conjoint[24]". Parce qu'elle arrive à dormir convenablement la nuit, tandis que son mari est torturé par les menaces de guerre, il la taxe d'être "sans réflexion et sans réelle sensibilité[25]". Son expression d'hébétude, lorsqu'elle dort, dégoûte Alexandre du sommeil. Parfois, "il pensa à elle en des termes injurieux qu'il n'eût jamais osé prononcer tout haut. Il se demanda s'il ne haïssait pas madame Chenevert. Cette grosse femme sotte et indifférente, qu'aurait-elle pu comprendre au sort des Japonais[26]"?

Lorsqu'elle tombe malade, Eugénie tarde à obéir à son médecin, non par esprit de contradiction, comme le croit Alexandre, mais surtout à cause du fardeau trop onéreux pour son mari que représenterait son séjour à l'hôpital.

> Il est vrai qu'elle redoutait beaucoup le traitement; elle y voyait une sorte de lien, la pauvre femme, avec le mariage, l'injuste condition féminine qui vaguement lui paraissait imputable à l'égoïsme des hommes[27].

Plus tard, Alexandre reconnaîtra que "les hommes et les femmes sur terre [sont] irrémédiablement isolés les uns des autres par les misères particulières à leur sexe et que...celles des femmes étaient peut-être les plus lourdes[28]".

Le portrait de la vie conjugale que nous livre Gabrielle Roy est plutôt sombre, comme nous venons de le voir: celle de Hagar et Bram Shipley n'est guère plus reluisante. Ils se sont mariés, l'un et l'autre, en raison de qualités qu'ils devaient trouver insupportables, par la suite: Bram est attiré par Hagar à cause de ses belles manières et de son langage soigné; c'est précisément l'absence de ces qualités qui attire Hagar vers son mari. Bram, agriculteur rustre et sans façon, vit la plupart du temps dans un monde de rêves et de projets grandioses, auxquels il ne donnera jamais suite. Il est très conscient de la désapprobation du père de Hagar envers ce mariage (Jason Currie laissera sa fortune à la ville de Manawaka et non à sa fille, pour souligner son mécontentement); toutefois, comme Jason, il nourrit l'espoir de fonder une sorte de dynastie. Ce rêve, comme bien d'autres, s'effondrera; son mariage, comme sa vie, sera un échec. Selon Hagar, "*twenty-four years, in all, were scoured away like sandbanks under the spate of our wrangle and bicker*[29]".

Alexandre et Hagar sont incapables d'empêcher leurs enfants d'être malheureux. L'enfance d'Irène "avait été...déchirée par des appels de préférence, chacun de ses parents voulant être aimé d'elle au détriment de l'autre[30]". Un égoïsme semblable a poussé Hagar à préférer John à Marvin. Être craintif, Irène ne veut pas que son enfant soit comme elle; qui plus est, elle craint de ressembler à son père, et éprouve "le sentiment que sa vie était entravée par la crainte du malheur que son père entretenait[31]". Sa vie étant déjà marquée de souffrances, de fatigues et de désillusions, "il n'était déjà plus possible de ne pas s'apercevoir qu'elle serait tout le portrait de son père[32]". Sachant sa fille malheureuse, Alexandre voit la pitié qu'il éprouve à son endroit se transformer en amertume, car Irène "était malheureuse pour n'avoir pas écouté son père. Il n'avait même pas réussi à lui éviter, trop jeune, un mariage désastreux. ...Ce qui était impardonnable chez Irène, c'était d'être maintenant malheureuse, faute de l'avoir écouté[33]". Lorsque Irène et son fils, Paul, quittent sa famille après une brève visite, Alexandre est accablé d'une douleur insoutenable devant son incapacité de protéger sa fille du malheur. Au départ de l'autobus il cherche en vain à "dire un dernier mot à Irène; il lui semblait qu'il devait y en avoir d'assez vrais, d'assez forts pour tout réparer, tout effacer[34]". Comme Hagar, il n'aura jamais l'occasion de dire ce qu'il aurait fallu dire.

Hagar entretient des liens également difficiles avec son fils, Marvin; elle reconnaît certaines qualités en son fils aîné, mais lui reproche en même temps beaucoup de faiblesses. Elle fait aussi preuve d'un manque de charité à l'endroit de sa bru, qui endure tant bien que mal ses sautes d'humeur depuis dix-sept ans.

Sollicité de toutes parts par la souffrance de l'humanité, par la douleur et le mal qui sévissent dans toutes les sociétés, Alexandre se donne pour mission la compréhension et la justification de cette souffrance. Il est incapable de se trouver, incapable de communiquer avec autrui. Rappelons la puissante image du caissier enfermé dans sa cage de verre, qui symbolise de façon éloquente le vide dans lequel vit Alexandre. Malgré tout, il "tente passionnément d'attacher son propre salut à celui de l'humanité entière[35]". Il se rend compte qu'il n'est pas seul au monde, et aussi, qu'il faut qu'il se connaisse lui-même avant de pouvoir atteindre les autres: "la communion passe par la possession de soi[36]". Dans son esprit, cette connaissance de soi est inextricablement liée à l'évasion (tantôt dans une île déserte du Pacifique, tantôt dans la nature près de Montréal; d'ailleurs, une rêverie du début du roman annonce déjà son voyage au lac Vert). Ce désir d'évasion se manifestera de nouveau lorsqu'il entendra une conversation en sourdine entre Eugénie et Irène, où il est surtout question de lui.

Alexandre et Hagar envisagent la possibilité de mettre fin à leur asservissement spirituel par la fuite, l'évasion, afin d'atteindre par la suite leur libération. Pour Hagar, cette évasion se fait, dans un premier temps, pour éviter d'être enfermée dans un hospice pour vieillards; néanmoins, le voyage, au niveau concret et symbolique, sera très riche en révélations pour elle. Alexandre, lorsqu'il songe au voyage au lac Vert, songe en même temps à son droit au bonheur. Ainsi, les deux arrivent à la découverte d'eux-mêmes, de la nature, des autres.

Dans la nature, Alexandre fait deux découvertes étonnantes: il se découvre "un homme comme un autre, qui avait le goût du bonheur et qui enfin y cédait[37]"; en outre, il rencontre pour la première fois la solitude. Cependant, cette révélation soulève certaines réserves, car "la solitude parut absence; absence de tout: des hommes, du passé, de l'avenir, du malheur, du bonheur; complet dépouillement[38]". Mais la solitude permettra à Alexandre de "découvrir en lui autant de promesses d'inconnu que chez un étranger[39]"; par la suite il passera "la plus belle journée de son existence...comme devrait être toute sa vie[40]".

C'est chez les Le Gardeur qu'Alexandre a l'intuition de sa transformation: "le vieil Alexandre ronchonneur, solitaire et insociable, était bien mort enfin. Un autre avait pris sa place qui, sans effort, naturellement, engageait la sympathie[41]". Se croyant guéri, il décide de couper court à ses vacances et de rentrer à Montréal — le bonheur des Le Gardeur semble reposer surtout sur la suffisance. "Au fond, de quoi l'homme heureux rendait-il grâce sinon de l'inégalité sur terre[42]"? Ce reproche envers le bonheur et l'indépendance des Le Gardeur nous rappelle le monde bien à l'abri des grands malheurs de *la Petite Poule d'Eau.* Cette vie bien protégée serait-elle une évasion de la responsabilité qui aurait motivé Alexandre à rentrer chez lui, et les enfants de Luzina à chercher leur propre chemin[43]?

Une fois rentré à Montréal, Alexandre reprend sa vie infernale de jadis. Il est de nouveau tiraillé par le doute: "toutes les habitudes de sa vie étaient donc mauvaises, anormales[44]"; il lui arrive même de se demander "si Dieu...connaissait la souffrance humaine[45]".

Rongé par la maladie, Alexandre est enfin hospitalisé, souffrant, à son insu, d'un cancer: "dans le monde organisé tel qu'il était, mourir restait peut-être pour lui l'unique occasion de poser un geste d'absolue sincérité[46]". Au seuil de la mort, toutefois, "il devait avoir le temps d'entrevoir un peu du ciel sur cette terre[47]".

Le rapprochement de Hagar avec elle-même et la nature se fait au prix d'un voyage infiniment plus périlleux que celui d'Alexandre. Une fois arrivée à Shadow Point, au bord de la mer, Hagar se réfugie dans une conserverie de poissons désaffectée. Plusieurs images saisissantes de la nature seront étroitement reliées à la mort prochaine de Hagar; par exemple, un médicament destiné à atténuer sa douleur agira comme un courant sous-marin qui l'entraînera inexorablement vers le fond d'une mer. Tandis qu'Alexandre Chenevert trouve dans la nature une source d'inépuisable apaisement, la nature pour Hagar est à la fois rassurante et menaçante (cette attitude ambiguë ressemble à celle de Stacey MacAindra). Dans un premier temps, elle orne ses cheveux d'insectes, devenant ainsi "reine des hannetons, impératrice des perce-oreilles[48]". Plus tard, une mouette égarée, symbole de la vie que Hagar cherche à détruire, s'introduit dans son refuge: sa présence est insupportable à Hagar, qui se souvient d'un vieux dicton selon lequel un oiseau dans la maison présage la mort. Ce dicton marquera l'enfance de Vanessa MacLeod dans *A Bird in the House*, d'ailleurs. Or, plus tard, à l'hôpital, Hagar, à peine éveillée, entendra des voix autour d'elle qui "voltigent comme des oiseaux pris dans un bâtiment[49]". Dans un mouvement de colère, elle blesse l'oiseau, qui se met à crier pitoyablement; ne pouvant plus supporter ce cri, Hagar cherche à éloigner et à faire taire sa victime, tout comme elle a souvent cherché à faire taire ceux qui l'entouraient lorsqu'elle ne voulait pas les entendre. L'oiseau devient un symbole sacrificiel, en quelque sorte. Le contact de Hagar avec la nature où lui manque tout le confort matériel de sa vie habituelle est donc loin d'être aussi idyllique que celui d'Alexandre.

La rencontre d'Alexandre avec les Le Gardeur, riche en significations et en conséquences, véritable catalyseur dans sa quête de lui-même, trouve sa réplique chez Hagar lorsqu'un intrus s'introduit dans la conserverie. Murray F. Lees, courtier d'assurances désabusé, s'y rend de temps en temps pour boire et oublier un peu la vie. Malgré quelques réticences, Hagar accepte de partager un verre avec lui, et au fur et à mesure que la bienséance et la lucidité le cèdent à l'ivresse, tous deux racontent des détails de plus en plus pénibles de leur vie. Après avoir entendu l'histoire du fils de Murray Lees, qui a péri dans un incendie, dû peut-être à la négligence de son père, Hagar, ivre, raconte (malgré elle) l'histoire de John. Dans la souffrance et les remords de son interlocuteur, elle reconnaît enfin sa propre souffrance, ses propres remords: pour la première fois de sa vie, elle en assume l'énorme fardeau et l'entière responsabilité. Comme Alexandre chez les Le Gardeur, c'est en s'ouvrant à autrui qu'elle se connaît elle-même. La lourde signification de ce dialogue se fera sentir le lendemain:

> *Something else occurred last night. Some other words were spoken, words which I've forgotten and cannot for the life of me recall. Buy why do I feel bereaved, as though I'd lost someone only recently? It weighs so heavily upon me, this unknown loss. The dead's flame is blown out and evermore shall be so*[50].

Au seuil de la mort, Alexandre se réconcilie avec lui-même, avec sa femme et avec l'humanité. Eugénie, qui croyait pourtant bien connaître son mari, est consternée de découvrir en lui "un être beaucoup plus mystérieux, presque un étranger; en quelque sorte un homme qui aurait pu être[57]" en lisant la lettre qu'Alexandre devait lui envoyer du lac Vert, lettre empreinte de tendresse et de douceur à l'endroit de sa femme, d'ailleurs. Quant à Alexandre, qui avait déjà accusé sa femme d'insensibilité, il ne peut supporter les larmes d'Eugénie lorsqu'elle s'apitoie sur son sort. À cet instant, les Chenevert découvrent qu'ils s'aiment. Plus tard, Irène aussi commencera "cette longue et vraie connaissance des autres qui ne nous vient qu'à travers la peine[52]".

Alexandre a toujours voulu se passer de l'aide des autres autant que possible, et subit difficilement la bonté de ses proches lorsque sa condition s'aggrave: "Parvenu à une hypersensibilité torturante, il voyait que tous les autres avaient été bons pour lui. ...La bonté l'accusait[53]". En dépit de cette révélation, il est de nouveau hanté par un souvenir d'enfance relié à sa mère, qu'il aurait traitée de vieille folle; Alexandre se reproche amèrement de l'avoir tuée, en quelque sorte, car elle souffrait déjà à cette époque d'une maladie de coeur. Même à la fin de sa vie, Alexandre sera rongé par le regret.

Alexandre s'étonne de recevoir des fleurs de la part des employés de la banque, et s'étonne davantage d'être lui-même l'objet d'une quête. Sa famille lui ayant caché la gravité de sa maladie, il ignore que sa fin est proche. Très ému de la générosité de ses collègues, il ne se rend pas compte que pour eux il s'agit d'un ultime hommage.

Ainsi s'éteint une vie à la fois tragique et exemplaire, car le sort d'Alexandre, qui est le sort de la plupart des hommes, "est de rester enchaîné à l'insignifiance de la vie[54]".

Hagar, hospitalisée et atteinte d'un cancer, s'étonne, tout comme Alexandre, de recevoir des fleurs (d'autant plus qu'il s'agit de fleurs achetées chez un fleuriste et non de fleurs du jardin) de son fils et de sa bru, qu'elle a souvent accusés d'avarice. Ce geste est doublement significatif: d'une part, il est révélateur de la générosité jusqu'alors insoupçonnnée des proches de Hagar au seuil de la mort: il devient un geste d'expiration, en quelque sorte. Il s'agit, d'autre part, d'un signe discret de la part de la romancière, qui nous rappelle que Hagar ignore la gravité de sa condition, assez ironiquement, car son récit se raconte à la première personne.

Comme Alexandre, Hagar renonce au secours de Dieu; lorsque le pasteur la presse de prier avec lui, elle refuse, mais lui demande en revanche de chanter pour elle. Soudain, en l'écoutant, elle est frappée d'une révélation foudroyante, à la fois bouleversante et amère: tout ce qu'elle a cherché dans la vie, c'était de se réjouir: "*How is it I never could? I know, I know. How long have I known? Or have I always known...? ...When did I ever speak the heart's truth*[55]"?

Une autre révélation de sa faillibilité, donc de son humanité, se produit juste avant sa mort:

> *I can't say it. Now, at last, it becomes impossible for me to mouth the words — I'm fine. I won't say anything. It's about time I learned to keep my mouth shut. But I don't. I can hear my voice saying something, and it astounds me.*
> *"I'm — frightened. Marvin, I'm so frightened — " ...I think it's the first time in my life I've ever said such a thing. Shameful. Yet somehow it is a relief to speak it*[56].

Marvin, tout en s'excusant de sa mauvaise humeur au cours des années, saisit tout à coup la main de sa mère: à ce moment, il apparaît comme Jacob luttant avec l'ange (rôle bien étrange pour Hagar). À son tour, Hagar songe à demander pardon à son fils, mais elle se rend vite compte que ce n'est pas cela qu'il cherche auprès d'elle. Elle lui ment en disant qu'il a été un meilleur fils que son frère, John:

> *The dead don't bear a grudge nor seek a blessing. The dead don't rest uneasy. Only the living. Marvin, looking at me from anxious elderly eyes, believes me. It doesn't occur to him that a person in my place would ever lie*[57].

Ce mensonge, toutefois, constitue un geste désintéressé de la part de Hagar, l'un des rares gestes du genre qu'elle a posés durant sa vie. Plus tard, elle entendra Marvin parler d'elle à l'infirmière, avec "colère et tendresse[58]".

Condamnée à toujours porter en elle le souvenir de toute sa vie,

Hagar reconnaît enfin ses torts et ses faiblesses;

> *Pride was my wilderness, and the demon that led me there was fear. I was alone, never anything else, and never free, for I carried my chains within me, and they spread out from me and shackled all I touched*[59].

En explorant la vie de deux êtres malheureux juste avant leur mort, Gabrielle Roy et Margaret Laurence juxtaposent continuellement ce qu'ils désirent et ce qui leur arrive, ce qu'ils souhaitent de la vie et ce qu'ils en reçoivent. Alexandre Chenevert et Hagar Shipley essaient de comprendre l'écart parfois énorme entre leurs aspirations et la réalité[60]. Les deux personnages illustrent éloquemment une préoccupation semblable chez Roy et Laurence, qui espèrent toutes deux la survivance de la dignité humaine, ainsi que la capacité de communiquer avec autrui[61]. Au cours d'un lent et pénible cheminement vers la connaissance d'eux-mêmes, voyage psychique parsemé d'obstacles et d'entraves de toutes sortes, Alexandre Chenevert, homme universel, devient un individu, et Hagar Shipley, être monstrueux, tend vers l'humanité. Ni l'un ni l'autre n'est un simple symbole de la condition humaine: les deux sont plutôt parfaitement différenciés, paradoxaux, imprévisibles. Ils sont en proie à une profonde angoisse existentielle, mais demeurent indomptables devant la vie. Ils sont pathétiques et nobles, humbles, d'humeur difficile, agaçants, mais avant tout, originaux[62].

---

1 Gabrielle Roy, *Alexandre Chenevert* (Montréal: Éditions internationales Alain Stanké, 1979), p. 112.

2 Margaret Laurence, *The Stone Angel* (Toronto: McClelland & Stewart-Bantam, 1978), p. 137.

3 Voir Allison Mitcham, "*The Canadian Matriarch: a study in contemporary French and English-Canadian fiction*", *la Revue de l'Université de Moncton*, 7° année, no 1 (Janvier 1974), 37-42. Signalons, entre autres, Iriook (*Agaguk*, 1961; *Tayaout, fils d'Agaguk*, 1971; de Thériault); Ma Gall et Mrs. Bridgewater (*A Mixture of Frailties*, 1958; de Robertson Davies); Grand-mère Antoinette (*Une Saison dans la vie d'Emmanuel*, 1966; de Marie-Claire Blais); Mrs. MacMurray (*Who Has Seen the Wind*, 1947; de W.O. Mitchell); Rose-Anna Lacasse et Luzina Tousignant (*Bonheur d'occasion*, 1945; *la Petite Poule d'Eau*, 1950; de Gabrielle Roy); Mrs. Severance (*Swamp Angel*, 1954; de Ethel Wilson).

4 *AC*, p. 17.

5 *Ibid.*, p. 154.

6 *Ibid.*, p. 11.

7 *Ibid.*, p. 12.

8 *Ibid.*, p. 17.

9 *Ibid.*, p. 18.

10 *Ibid.*, p. 61.

11 *Ibid.*, p. 78.

12 *SA*, p. 1. *...and proclaim his dynasty...forever and a day.*

13 *Ibid.*, p. 3. *Now I am rampant with memory.*

14 Sandra Djwa, "*False Gods and True Covenant: thematic continuity between Margaret Laurence and Sinclair Ross*", *Margaret Laurence*, Ed. William H. New (Toronto: McGraw-Hill Ryerson, 1977), p. 71.

15 *SA*, p. 52. *The jokes of God.*

16 *Ibid.*, p. 90. Peut-être les scrute-t-on trop. On évalue plus facilement les étrangers.

17 *AC*, p. 15.

18 *Ibid.*, p. 43.

19 *Ibid.*

20 *Ibid.*, p. 51.

21 *Ibid.*, p. 65.

22 *Ibid.*

23 *SA*, p. 216. Je me redressai; me tenir droite à cet instant, c'était la chose la plus difficile que j'ai jamais faite de ma vie. Je n'allais, sous aucun prétexte, pleurer devant des étrangers. ...La nuit où mourut mon fils, je fus transformée en pierre et ne versai pas une seule larme. ...Tout au long de cette nuit, une seule pensée me revenait à l'esprit: il me restait tellement de choses à lui dire, tellement de torts à réparer. Il n'avait pas voulu attendre pour m'écouter.

24 Suzanne Paradis, *Femme fictive, femme réelle*, p. 56.

25 *AC*, p. 14.

26 *Ibid.*, p. 22.

27 *Ibid.*, p. 120.

28 *Ibid.*, p. 127.

29 *SA*, p. 102. Vingt-quatre ans de mariage se sont effrités comme du sable sous les coups de nos affrontements et nos querelles.

30 *AC*, p. 143.

31 *Ibid.*, p. 142.

32 *Ibid.*, p. 139.

33 *Ibid.*, p. 140.

34 *Ibid.*, p. 150.

35 *Ibid.*, préface.

36 François Ricard, *Gabrielle Roy*, p. 80.

37 *AC*, p. 183.

38 *Ibid.*, p. 204.

39 *Ibid.*, p. 207.

40 *Ibid.*, p. 213.

41 *Ibid.*, p. 246.

42 *Ibid.*, p. 258.

43 Voir Joan Hind-Smith, *Three Voices* (Toronto: Clarke, Irwin & Company, 1975), p. 100.

44 *AC*, p. 272.

45 *Ibid.*, p. 294.

46 *Ibid.*, p. 355.

47 *Ibid.*, p. 345.

48 *SA*, p. 193. *...queen of moth-millers, empress of earwigs.*

49 *SA*, p. 229. *...the voices flutter like birds caught inside a building.*

50 *SA*, pp. 222-23. Il s'est passé autre chose la nuit dernière. Il s'est dit autre chose, des paroles que j'ai oubliées depuis que je suis incapable de me rappeler. Comment expliquer ce sentiment de deuil, comme si quelqu'un venait juste de mourir? Cette perte inconnue pèse très lourdement sur moi. Le souvenir du mort s'est éteint à jamais.

51 *AC*, p. 362.

52 *Ibid.*, p. 377.

53 *Ibid.*, p. 374.

54 *Ibid.*, p. 381.

55 *SA*, p. 261. Comment se fait-il que je n'ai jamais pu le faire? Je sais, je sais. Depuis quand le sais-je? Depuis toujours, peut-être. ...Quand ai-je jamais parlé selon mon coeur?

56 *Ibid.*, p. 271. Je ne peux pas le dire. Enfin, il m'est impossible de marmonner — je vais bien. Je ne dirai rien; il est temps que j'apprenne à me taire. Mais je ne me tais pas. Je m'entends parler, malgré moi, et j'en suis étonnée.
— J'ai peur, Marvin, j'ai tellement peur.
...C'est probablement la première fois de ma vie que je parle ainsi. Quelle honte. Mais, cela me soulage d'une certaine façon de le dire.

57 *Ibid.*, p. 272. Les morts ne gardent rancune à personne et ne cherchent pas, non plus, notre bénédiction. Les vivants sont tourmentés, les morts, point. Marvin me regarde de ses yeux vieux et inquiets, et il me croit. Il ne lui vient pas à l'esprit que l'on puisse mentir, dans situation.

58 *Ibid. ...he has spoken with such anger and such tenderness.*

59 *Ibid.*, p. 261. C'est l'orgueil qui a provoqué mon exil spirituel, et la peur était le démon qui m'y a amenée. J'étais seule, toujours seule, et jamais libre, car mes chaînes, je les portais en moi, et elles ont emprisonné tous les miens.

60 Voir William H. New, *Articulating West* (Toronto: New Press, 1972), p. 207.

61 Margaret Laurence, "*Sources*", *Mosaic*, 3, No. 3 (1970), 83. *The theme of survival — survival not just in the physical sense, but the survival of some human dignity and in the end the survival of some human warmth and ability to reach out and touch others — ...is an almost inevitable theme for a writer such as myself...*
Cette réflexion s'applique aussi bien à l'optique de Gabrielle Roy.

62 Elizabeth Janeway, *The New York Times Book Review*, New York, October 16, 1955, p. 5, repris dans *Alexandre Chenevert* (Montréal: Éditions internationales Alain Stanké, 1979), p. 397.
[Alexandre] *is not a hollow symbol but a differenciated human being and also indomitable.... He is pathetic and noble, humble, cranky, irritating, original.*
Elizabeth Janeway brosse très justement le portrait de Hagar Shipley en même temps.

CHAPITRE VI

L'ARTISTE ET L'ÉCRIVAIN: MARGINAUX ET VISIONNAIRES

L'art est le plus beau des mensonges.
Claude Debussy[1]

Descendant vers le passé, il se croisait allant de l'avant.
Gabrielle Roy[2]

Look ahead into the past, and back into the future, until the silence.
Margaret Laurence[3]

Les personnages de Gabrielle Roy et de Margaret Laurence que nous avons étudiés jusqu'à présent ne sont guère dépourvus d'imagination; bien au contraire, la plupart d'entre eux, que nous connaissons surtout à travers leur vie intérieure, sont doués d'une imagination parfois très fertile, mais manquent de la capacité de s'extérioriser. Ce dilemme d'ailleurs, a provoqué une crise existentielle aiguë chez Alexandre Chenevert, qui est certes perspicace, mais sans sensibilité artistique.

Or, compte tenu de l'importance que Roy et Laurence semblent attacher à cette dimension de leurs personnages, il n'est pas surprenant que l'une et l'autre aient envisagé un personnage d'artiste qui incarne dans une certaine mesure leur propre évolution comme écrivain, et qui sert en même temps à véhiculer leur propre conception de l'art, sinon de la vie.

Dans *la Montagne secrète*, "entreprise à peu près unique dans la littérature québécoise[4]" et *The Diviners*, sans doute le plus réussi des romans canadiens des années soixante-dix qui analysent l'évolution de l'artiste[5], Pierre Cadorai et Morag Gunn traduisent "directement et presque sans décalage la vie intérieure riche et complexe d'un personnage d'artiste[6]". Les deux oeuvres s'inscrivent dans la longue tradition du *Bildungsroman*, qui explore les années de formation dans la vie d'un individu, souvent écrivain ou autre sorte d'artiste. Ce genre de roman décèle parfois des éléments autobiographiques[7]; comme nous le verrons plus loin, l'aspect autobiographique dans les deux romans que nous examinons à présent touche surtout aux idées de Gabrielle Roy et de Margaret Laurence sur la vie et l'art.

Pierre Cadorai, à la fois personnage fictif, transposition du peintre René Richard, et projection de Gabrielle Roy elle-même, et Morag Gunn, personnage fictif que Margaret Laurence investit souvent de ses propres attitudes et idées, évoluent de manière semblable sur le plan personnel et artistique. Tous deux sont orphelins (Pierre dans la mesure où il s'est complètement coupé de son passé), étrangers dans leur milieu, et nomades. En effet, ils sont à peu près les seuls personnages chez Roy et Laurence à voyager, à parcourir le monde, car c'est par l'exil et la dépossession, l'isolement et la solitude, qu'ils atteindront leur but. "Voyageur, l'artiste est avant tout celui qui se sépare continuellement des hommes[8]". Rappelons que l'exil et l'éloignement ont joué un rôle déterminant dans l'évolution des deux romancières, pour qui la solitude semble une condition implicite à la vie d'artiste.

En tant qu'artistes et visionnaires, Pierre et Morag cherchent à se mieux connaître: à travers une exploration du passé, ils aboutissent à une certaine libération spirituelle. L'art est le moyen privilégié qui permet la découverte et la connaissance de soi. En outre, cette connaissance ne demeure pas sans issue, comme c'est le cas chez d'autres personnages déjà étudiés; plutôt, par le biais de l'art, Pierre Cadorai et Morag Gunn peuvent espérer une certaine communion avec autrui, sans pour autant pouvoir en mesurer l'ampleur et l'efficacité.

Selon Marc Gagné, "*la Montagne secrète* est issue directement d'*Alexandre Chenevert* [qui] est la quête du bonheur dans un milieu où le salut est impossible. *La Montagne secrète* a purifié le milieu aussi bien que l'absolu lui-même. Le milieu, en prenant comme cadre un Nord très éloigné de la ville, pur de cette pureté propre à l'espace mythique originel. L'absolu, en le présentant sous forme d'image[9]". Pour Gabrielle Roy, la vocation d'artiste est à la fois "prophétique et sacerdotale[10]"; Pierre se rend très tôt compte de la véritable nature de cette vocation: réjouir et soulever d'espérance les hommes. Assez ironiquement, l'artiste doit atteindre la communication avec autrui à force "de rompre, de rejeter toute appartenance, et d'affronter sans cesse la solitude[11]". Orphelin et être solitaire, Pierre croit "en avoir à jamais fini avec un passé offensant[12]". Malgré la solitude qui caractérise son existence, Pierre trouve une certaine consolation dans quelques amitiés exceptionnelles (Steve Sigurdsen, Orok, Stanislas Lanski) et dans la contemplation de la nature.

Quelle est la conception de l'art de Gabrielle Roy? Elle est multiple et complexe. C'est à travers l'héroïque périple de Pierre dans le Grand Nord, et plus tard à Paris, qu'elle nous en fait part.

L'art est avant tout un moyen de communication:

> [Pierre] regardait les étendues infinies du ciel constellé, et il avait le sentiment d'une incommensurable distance en lui-même à franchir.... Guère plus d'un jour ne passait maintenant sans qu'il entendît cette plainte de son âme: Hâte-toi, Pierre; le temps est court le but lointain. ...il sondait la nuit si étrange du Nord, palpitante d'étoiles, comme nulle autre au monde prête, semblait-il, à expliquer aux hommes leur propre désir si souvent à eux-mêmes incompréhensible[13].

Plus tard, le père André Le Bonniec explicitera le rôle capital de trait d'union entre les hommes que joue l'art:

> Car, après tout, pourquoi pensez-vous vous épuiser à peindre? Pour vous? Pour moi? Mais, non, voyons, vous travaillez pour des inconnus, le public. C'est étrange mais vrai: les plus grands parmi nous travaillent pour des inconnus qui, bien souvent, du reste, ne les comprendront qu'imparfaitement[14].

L'art est parfois une transcription de la nature, transcription grâce à laquelle l'artiste révèle ce qu'il y a d'unique dans ce qu'il peint. En se servant de ses dons particuliers, de sa vision artistique, le peintre arrive à faire renaître le monde, à le rendre intelligible aux autres. Toutefois, sa sensibilité artistique n'est pas limitée aux seules couleurs, comme celle de l'écrivain n'est pas limitée aux seuls mots:

> Pierre découvrait qu'il y avait place en lui, au-delà de l'amour des couleurs, pour l'enivrement des sons, pour le spectacle de la nuit, des étoiles, pour combien d'autres délectations! Cette soudaine joie de vivre élargissait d'ailleurs sa perception d'autres sources de joie encore, qui venaient à leur tour aiguiser son attention[15].

La mémoire est d'une importance primordiale dans la vie de l'artiste, qui revoit et corrige sans cesse le passé. La vérité des choses est transitoire, fuyante:

> Quelquefois revenaient le harceler dans son repos les visages, les êtres et les choses aperçus au passage puis dépassés. Il lui arrivait de se relever, de rallumer son feu, de chercher du papier et de reprendre, de mémoire, un dessin dont tout à coup il n'était plus satisfait. Ou encore il pouvait recevoir une soudaine illumination, un conseil si précieux qu'il fallait le saisir au vol[16].

Le dilemme fondamental de l'artiste, qui cherche une entente entre lui et les inconnus, est exprimé par le désir constant de s'éloigner et l'impérieux besoin de se rapprocher d'eux. La nature paradoxale de la quête de l'artiste dans toute sa plénitude frappe Pierre lorsqu'il lit *Hamlet*. C'est alors qu'il se rend compte de la mission primordiale de l'artiste: se raconter:

> Il releva la tête, se répéta à lui-même: *To tell my story...* Oui, c'était le désir profond de chaque vie, l'appel de toute âme: que quelqu'un se souciât d'elle assez pour s'en ressouvenir quelquefois, et, aux autres, dire un peu ce qu'elle avait été, combien elle avait lutté....
>
> L'être humain lançait son humble, sa modeste et si légitime requête. Et l'homme, son frère, doué pour la parole, ou les sons, ou les images, tâchait de satisfaire l'incessant appel: *to tell my story...* Au point de délaisser sa propre vie...[17].

La quête de Pierre depuis le début du roman repose sur une révélation, le but de tout art, symbolisée par la découverte de la montagne. Lieu de visions et de révélations depuis les temps bibliques, la montagne est un symbole qui paraît fréquemment dans la poésie et la fiction canadiennes. Citons, à titre d'exemple, le parallèle frappant qui existe entre le cheminement de Pierre Cadorai et celui de David Canaan dans *The Mountain and the Valley* d'Ernest Buckler. David, comme Pierre, arrive à attribuer une signification à son expérience grâce à l'art (il est écrivain). Tous deux cherchent également à donner une forme et un sens à une vision globable de la nature. La montagne, pour David, représente un défi à surmonter (au sens propre et au sens figuré): il a toujours eu l'intention d'escalader la montagne, mais diverses contraintes l'empêchent de le faire. Un jour, il grimpe à son sommet, et essaie de la saisir dans sa totalité:

> *He must* be *a tree and a stone and a shadow and a crystal of snow and a thread of moss and the veining of a leaf. He must be exactly as each of them was, everywhere and in all times; or the guilt, the exquisite parching for the taste of completion, would never be allayed at all*[18].

Au moment de cette révélation, David est terrassé par une défaillance cardiaque; malgré qu'il ait eu l'intuition de la véritable nature de sa quête, celle-ci est demeurée sans suite.

Pierre, juste avant de mourir, revoit et prend possession, en quelque sorte, de sa montagne:

> La montagne de son imagination n'avait presque plus rien de la montagne de l'Ungava. Ou, du moins, ce qu'il en avait pu prendre, il l'avait, à son propre feu intérieur, coulé, fondu, pour ensuite la mouler à son gré en une matière qui n'était désormais plus qu'humaine, infiniment poignante[19].

Malheureusement, il meurt avant de pouvoir fixer cette vision sur le carton: "Il fallait lui donner la vie, ne pas la laisser, elle, mourir. Ce qui meurt d'inexprimé, avec une vie, lui parut la seule mort regrettable[20]". Dans son autoportrait, Pierre semble avoir les cornes d'une divinité primitive, comme le caribou ou le Moïse de Michelange; en mourant, Pierre, comme Moïse, descend de la montagne, porteur d'une sorte de divinité, d'un pouvoir universel[21].

Pendant toute sa vie, Pierre a toujours eu à reprendre son oeuvre: "il avait des centaines, des milliers sans doute de croquis. Que lui en restait-il[22]"? Même à la fin de sa vie, la perfection qu'il a sans cesse recherchée lui échappe, mais non sans que sa quête lui permette de saisir son caractère infiniment complexe. En laissant derrière lui le fruit de sa quête, et par extension, de son imagination, Pierre réalise au moins une forme de communication avec autrui. Ayant retrouvé sa propre identité à travers l'art, il réussit à franchir, du même coup, les barrières qui séparent les hommes.

Le héros dans le roman québécois et canadien a souvent été écrivain. Selon Jean-Charles Falardeau, au sujet du roman québécois, "son dilemme a été d'opter entre vivre ou écrire. Son ambition désormais est de *vécrire*, selon le mot ambivalent que Jacques Godbout met dans la bouche de François Galarneau[23]", réflexion qui s'applique parfaitement à la situation de Morag Gunn.

L'impérieux besoin qui agite toute la vie de Morag est le même auquel Pierre Cadorai devait faire face: celui de se raconter. Orpheline depuis l'âge de cinq ans, elle est également "étrangère". Au contraire de Vanessa MacLeod, Hagar Shipley, Rachel Cameron et Stacey MacAindra, elle n'est pas née à Manawaka, mais y vit seulement à partir du moment où ses tuteurs, Prin et Christie Logan, la prennent en charge. Les Logan, et par conséquent Morag, vivent en marge de la société bien-pensante et bienséante de la ville.

Enfant sensible, étudiante studieuse et douée, Morag est "*an inveterate winkler-out of people's life stories*[24]". Tandis que Pierre se réfugie très jeune dans ses croquis, Morag se confie continuellement à un cahier d'écolier qu'elle garde précieusement dans sa chambre (l'écriture, à cette étape de sa vie, se fait presque dans la clandestinité, comme chez Jean-Le Maigre dans *Une Saison dans la vie d'Emmanuel* de Marie-Claire Blais). Rejetée et méprisée par ses camarades de classe en raison de son extrême pauvreté, qui frôle parfois la misère, Morag apprend très vite à se défendre de la méchanceté des autres en créant un univers imaginaire qui est à la fois une échappatoire et une consolation:

> *Morag is working on another story as well. In another scribbler. She does not write where it came from. It comes into your head, and when you write it down, it surprises you, because you never knew what was going to happen until you put it down*[25].

L'enfance de Morag, bien qu'elle soit souvent malheureuse, se distingue très nettement de celle de Pierre dans la mesure où elle nous est racontée avec force détails, selon la perspective de Morag. Encore jeune, elle est fortement marquée par les contes de Christie Logan sur ses ancêtres écossais, à qui il attribue des qualités héroïques et dont les exploits doivent plus aux légendes qu'à l'Histoire. Christie est le premier des sourciers que Morag connaîtra dans la vie; éboueur de la ville de Manawaka, il prétend pouvoir "lire" la vie des gens dans leurs ordures domestiques. À travers ses contes et légendes sur la famille, il se cherche lui-même, tout en essayant de conserver le sens de sa propre dignité.

Très jeune, Morag décide de quitter à jamais Manawaka, de se couper définitivement d'un passé qu'elle assume difficilement:

> *...she knows something which nobody else in this world knows.*

> *Which is, one day she will be on one of those trains, going to the city and maybe even further than the city. Going to the world*[26].

À l'université, elle se marie avec l'un de ses professeurs de littérature anglaise, Brooke Skelton, Anglais d'origine, dont l'enfance aux Indes revêt un caractère tout à fait extraordinaire aux yeux de sa femme. Par honte, Morag tait sa propre histoire, étape cruciale dans sa dépossession, semblable à celle de Pierre. Plus tard, en élaborant le personnage principal (Lilac Stonehouse) de son premier roman, *Spear of Innocence*, elle se rendra compte de l'extrême futilité d'un tel geste: "*How much of Lilac's childhood remained with* her? All. *It always does*[27]".

C'est en écrivant que Morag prend petit à petit conscience de sa propre autonomie; pour elle, l'écriture, par sa nature même, devient un instrument de libération personnelle. Comme Pierre, elle ressent de plus en plus le besoin de solitude au fur et à mesure que l'écriture occupe une place de plus en plus importante dans sa vie. Le départ de Manawaka marquait la première étape dans son exil et sa dépossession. Elle s'éloigne davantage de son passé lorsque son mari accepte un poste à l'Université de Toronto. Toutefois, cette ville (toute ville) constitue pour Morag un environnement aliénant et peu propice à la création artistique, et elle ne s'y habituera jamais. Elle ressemble en cela à Hagar Shipley et Stacey MacAindra qui ont toutes deux hâte de quitter Manawaka, mais qui s'intègrent mal à la vie urbaine. C'est alors qu'elle rompt avec tout, et entreprend un long périple qui l'amènera successivement à Vancouver, à Londres, où elle cherchera une certaine ambiance littéraire propice à sa propre création; en Écosse, où elle compte renouer avec ses ancêtres en retrouvant les lieux qu'ont valorisés les contes de Christie Logan. Elle se fixera, enfin, dans la campagne ontarienne, au bord d'une rivière; c'est là justement que nous la trouvons au début du roman.

Son exil et son éloignement physique correspondent à un rapprochement progressif avec son passé; comme Pierre, elle se rend compte, surtout à l'étranger, que l'on ne peut guère se détacher du passé, et que l'on retourne inéluctablement à ses propres sources[28]. Même à Paris, Pierre peint des tableaux qui sont empreints de sa vision du Grand Nord. Pour Morag, l'idée du retour aux sources sera la clef de voûte de sa recherche d'elle-même: "*You Can't Go Home Again, said Thomas Wolfe. Morag wonders now if it may be the reverse which is true. You have to go home again, in some way or other*[29]". Comme Pierre, elle cherche à écrire à partir de sa propre expérience, de sa propre vision, et non à partir de celle de quelqu'un d'autre. L'acte créateur devient acte rédempteur[30].

Morag se réconcilie de plus en plus avec son passé; dans son dernier roman, *Shadow of Eden*, elle incorpore des contes de Christie. Lorsque son ami, Royland, véritable sourcier de métier, perd son don, elle saisit enfin l'importance capitale du passé par rapport au présent:

> *The inheritors. Was this, finally and at last, what Morag had always sensed she had to learn from the old man? She had known it all along, but not really known. The gift, or portion of grace, or whatever it was, was finally withdrawn, to be given to someone else.*
>
> *"This what's happened to me —" Royland said, "it's not a matter for mourning."*
>
> *"I see that now," Morag said.*
>
> *...At least Royland knew he had been a true diviner. There were the wells, proof positive.... Morag's tricks were of a different order. She would never know whether they actually worked or not, or to what extent. That wasn't given to her to know. In a sense, it did not matter. The necessary doing of the thing — that mattered*[31].

Tout au long de son récit, Morag reconstitue son passé, qui comprend toute sa vie ainsi que celle de ses ancêtres, à partir de photographies et de souvenirs. Comme Pierre, qui accumule ses croquis, lesquels deviennent la reconstitution "imagée" de sa vie, Morag garde ses photos "*not for what they show but for what is hidden in them*[32]". Le passé peut donner un sens à notre vie; mais l'artiste seul, en tant que visionnaire, est apte à le dégager.

À plusieurs reprises, Morag contemple la rivière devant sa maison, dont le mouvement reflète de manière saisissante le caractère énigmatique du passé, de la mémoire, dans sa vie:

> *The river flowed both ways. The current moved from north to south, but the wind usually came from the south, rippling the bronze-green water in the opposite direction. This apparently impossible contradiction, made apparent and possible, still fascinated Morag, even after the years of river-watching*[33].

Elle essaie, d'ailleurs, de peindre la rivière avec des mots, et sera toujours obsédée par l'impossibilité de la décrire avec exactitude, problème qu'éprouve Pierre lorsqu'il essaie de fixer la couleur de l'eau avec de la peinture: "*Probably no one could catch the river's colour even with paints, much less words. A daft profession. Wordsmith. Liar, more likely. Weav-*

ing fabrications. Yet, with typical ambiguity, convinced that fiction was more true than fact. Or that fact was in fact fiction[34]". Si l'écriture constitue un moyen privilégié de fixer le passé, le présent, et de les exprimer, c'est un moyen néanmoins imparfait: "*I used to think words could do anything. Magic. Sorcery. Even miracle. But no, only occasionally*[35]".

Romancière, Morag est persuadée qu'il importe moins de dire quelque chose de nouveau, dans son oeuvre, que de présenter une vision juste de l'expérience humaine[36].

Selon Northrop Frye, "le mythe fondamental de l'homme, c'est celui de l'identité perdue: toute raison, tout courage, toute vision tendent vers le recouvrement de l'identité. [En outre], le recouvrement de l'identité ne repose pas sur le sentiment que je suis moi-même et non un autre, mais plutôt sur la conception qu'il n'existe qu'un homme, un esprit, un monde, et que toutes les barrières qui les séparent se sont à jamais effondrées[27]". Ce mythe est certainement implicite dans la recherche des personnages de Roy et de Laurence, et particulièrement frappant chez Pierre Cadorai et Morag Gunn. Il est d'autant plus frappant chez l'artiste, pour qui l'art permet de recouvrer son identité et, en transcendant son oeuvre, d'atteindre un degré de libération personnelle.

La Montagne secrète et *The Diviners* sont une sorte de manifeste esthétique, dans lequel Roy et Laurence attribuent à leurs personnages le rôle de porte-parole, de façon plus explicite que d'habitude. Dans ses écrits postérieurs à la parution de *la Montagne secrète*, Gabrielle Roy a certes poursuivi sa longue méditation sur la nature de l'art et la vocation de l'artiste (surtout dans *la Route d'Altamont*) mais nulle part ailleurs cette méditation n'a trouvé d'expression aussi puissante et éloquente que dans le récit de Pierre Cadorai. Au moment où elle écrivait *The Diviners*, Margaret Laurence prévoyait déjà ne plus écrire de romans; ainsi, son dernier roman acquiert-il la valeur d'un véritable testament.

Morag Gunn revit sa vie par la mémoire et accepte le lien vital entre le passé et le présent; le temps est en réalité un continuum, comme la rivière évoquée à plusieurs reprises, qui semble couler dans les deux sens. En se réconciliant avec elle-même et avec autrui, Morag accepte l'héritage que lui lègue le passé[38]. Entourée de sourciers pendant toute sa vie, qu'il s'agisse de Christie Logan et de ses contes, de Jules Tonnerre ou de Pique, sa fille, avec leurs chansons, ou encore de Royland, sourcier de métier, Morag est la seule parmi eux à raconter ce qu'elle a découvert; son univers est constitué de "*private and fictional words*[39]".

Parmi ses quelques rares amis, Pierre aussi fait figure de visionnaire, car c'est lui qui arrive à donner un sens à ses expériences, mais qui rend en même temps intelligible le monde réel qui entoure ses proches. Ayant trouvé sa montagne, mythique et resplendissante, il se rend compte à la fin de sa vie que ce n'est pas la réalité concrète de l'objet que l'artiste doit chercher à rendre sensible, mais plutôt sa vision intérieure, découlant de cette réalité. Il n'est pas permis à l'artiste d'espérer atteindre la perfection dans une seule oeuvre, car sa vision sera toujours forcément incomplète. Pierre meurt, sa vision (la montagne) s'éloigne: ainsi se pose l'éternel dilemme de l'artiste: "Qui, dans les brumes, la retrouvera[40]"!

Bien que l'on reproche à *la Montagne secrète* certaines faiblesses dans l'élaboration des personnages, nous devons néanmoins reconnaître qu'il s'agit d'une oeuvre essentiellement symbolique. *The Diviners*, tout en étant ancré dans une réalité plus terre-à-terre, décèle une vision semblable à celle de Gabrielle Roy sur la condition souvent douloureuse de l'homme et sur la nature consolatrice de l'art.

---

1 Claude Debussy, "L'orientation musicale", *Musica*, Octobre 1902, repris dans *Monsieur Croche et autres écrits* (Paris: Gallimard, 1971), p. 67.

2 Gabrielle Roy, *la Montagne secrète* (Montréal: Éditions internationales Alain Stanké, 1978), p. 198.

3 Margaret Laurence, *The Diviners* (Toronto: McClelland & Stewart, NCL no. 146, 1978), p. 453.

4 François Ricard, *Gabrielle Roy*, p. 112.

5 David Staines, introduction to *The Diviners*, p. xi. Voir aussi Jake Hersh dans *St. Urbain's Horseman* (Mordecai Richler, 1971); Del Jordan dans *Lives of Girls and Women* (Alice Munro, 1971); Joan Delacourt dans *Lady Oracle* (Margaret Atwood, 1976).

6 François Ricard, *loc. cit.*

7 David Staines, *op. cit.*, pp. xi-xii. Voir par exemple *David Copperfield* de Dickens et *A Portrait of the Artist as a Young Man* de Joyce.

8 François Ricard, *op. cit.*, p. 107.

9 Marc Gagné, *Vissages de Gabrielle Roy* (Montréal: Beauchemin, 1973), p. 225.

10 Malcolm Ross, introduction to *The Hidden Mountain* (Toronto: McClelland & Stewart, NCL no. 109, 1975).

11 François Ricard, *op. cit.*, pp. 101-102.

12 *MS*, p. 59.

13 *Ibid.*, p. 21.

14 *Ibid.*, p. 134.

15 *Ibid.*, p. 67.

16 *Ibid.*, p. 28.

17 *Ibid.*, pp. 147-48.

18 Ernest Buckler, *The Mountain and the Valley* (Toronto: McClelland & Stewart, NCL no. 23, 1961), p. 292.
Il devait être un arbre et une pierre et une ombre et un cristal de neige et un brin de mousse et les veines d'une feuille. Il devait être précisément comme chaque chose, partout et en tout temps, sans quoi le sentiment de culpabilité, la soif ardente et exquise du goût de la réussite ne serait jamais assouvie.

19 *MS*, p. 221.

20 *Ibid.*, p. 222.

21 D.G. Jones, *Butterfly on Rock* (Toronto: *University of Toronto Press*, 1970), p. 26.

22 *MS*, p. 98.

23 Jean-Charles Falardeau, *Imaginaire social et littérature* (Montréal: HMH, 1974), p. 53.

24 *DIV*, p. 101. Elle était "collectionneuse archarnée des biographiques d'autrui."

25 *Ibid.*, p. 87. Morag écrit une autre histoire en même temps, dans un autre cahier. Elle ignore la source de cette histoire. Celle-ci entre dans votre tête, et lorsque vous l'écrivez, vous en êtes surpris, car vous ne savez pas ce qui va se passer jusqu'au moment où vous l'écrivez.

26 *Ibid.*, p. 121. ...elle est la seule au monde à savoir une chose, c'est-à-dire, qu'un jour, elle prendra le train pour aller vers la ville, sinon plus loin encore. Vers le monde entier.

27 *Ibid.*, p. 229. Quelle partie de son enfance a-t-elle conservé, Lilac? *Tout*. Ainsi va la vie.

28 "On dit que le criminel retourne à l'endroit de son forfait. Le romancier aussi a tendance à vouloir revoir les choses et les êtres auxquels, pour les traduire, il a si longtemps pensé." Gabrielle Roy, "Le Manitoba", *FLT*, p. 113.

29 *DIV*, p. 302.

30 Margaret Atwood, *Survival* (Toronto: Anansi, 1972), p. 193.

31 *DIV*, p. 452.
Les héritiers. Était-ce la vérité que Morag a toujours pensé qu'elle devait apprendre du vieux? Elle l'a toujours su, mais de façon partielle. Le don, la partie de grâce, quel que soit le nom, a été retiré, attribué ensuite à quelqu'un d'autre.
"Ce qui m'est arrivé —" dit Royland, "ce n'est pas la fin du monde."
"Je le sais maintenant," répond Morag.
...Royland sait au moins qu'il a été un vrai sourcier: les puits en témoignent.... Tout autre était la magie de Morag. Elle ne saurait jamais l'étendue de son efficacité. Il ne lui était pas donné de le savoir. Peu importe. Ce qui comptait, c'était de l'exercer, sa magie.

32 *DIV*, p. 6.
Je garde les photos, non pour ce qu'elles montrent mais pour ce qu'elles dissimulent.

33 *Ibid.*, p. 3.
La rivière coulait dans les deux sens. Le courant allait du nord vers le sud, mais le vent, qui soufflait d'habitude du sud, faisait onduler l'eau vert-de-gris dans l'autre sens. Cette contradiction (apparemment impossible) devenue apparente et possible, ne cessait de fasciner Morag, qui observait depuis des années la rivière.

34 *Ibid.*, p. 25.
Il n'y avait probablement personne pour saisir la couleur de la rivière avec de la peinture, encore moins avec des mots. Quel métier toqué. Forgeron des mots. Menteur, plutôt. Tisserand de mensonges. Malgré cela, convaincue (avec une ambiguïté typique) que la fiction était plus vraie que la vérité. Ou que la vérité (en vérité) n'était que fiction.

35 *Ibid.*, p. 5. Autrefois, je croyais au pouvoir illimité des mots. Magie. Sorcellerie. Voire, miracle. En réalité, j'y crois seulement de temps en temps.

36 Theo Q. Dombrowski, "*Who is This You? Margaret Laurence and Identity*", *University of Windsor Review*, 13, No. 1 (Fall-Winter 1977), 21.

37 Northrop Frye, *The Return of Eden* (Toronto: *University of Toronto Press*, 1965), p. 143.
The central myth of mankind is the myth of lost identity: the goal of all reason, courage and vision is the regaining of identity...the recovery of identity is not the feeling that I am myself and not another, but the realization that there is only one man, one mind, and one world, and that all walls of partition have been broken down forever.

38 David Staines, *op. cit.*, pp. ix-x.

39 *DIV*, p. 453. ...des mots privés et fictifs....

40 *MS*, p. 222.

CHAPITRE VII

L'ESQUIMAU ET L'INDIEN: INTERMÉDIAIRES ENTRE LA SOCIÉTÉ BLANCHE ET LA NATURE

> Elle ne voyait vraiment pas vers quoi elle allait. Par ailleurs, si elle regardait en arrière dans la direction d'où elle venait, elle s'apercevait qu'il lui était impossible de retourner à cette façon de vivre. Elle se voyait donc condamnée à avancer vers l'inconnu.
>
> Gabrielle Roy[1]

> *His eyes narrow, and only then does she recall that he always said he would never become like his father. Even after he no longer hated and resented Lazarus.*
>
> Margaret Laurence[2]

Dans les chapitres deux et trois nous avons déjà souligné l'importance de l'exil chez Gabrielle Roy et Margaret Laurence dans leur apprentissage de l'écriture et dans l'évolution de leur vision sociale. Or un examen même sommaire de l'oeuvre de chaque romancière révèle que les immigrants et les étrangers ont toujours été au centre de leurs préoccupations.

À l'époque où elle est journaliste au *Bulletin des agriculteurs*, Gabrielle Roy publie une série de sept articles intitulée "Peuples du Canada" où elle examine les divers groupes ethniques qui composent la population de l'Ouest canadien. L'optimisme foncier qui caractérise ces articles (et d'autres écrits journalistiques encore) pour ce qui a trait au perfectionnement de l'univers s'opposera à l'inquiétude et à l'angoisse souvent manifestes dans les romans et les nouvelles qu'elle écrira par la suite.

Dans *Bonheur d'occasion* il est surtout question d'étrangers dans le contexte de la Deuxième Guerre mondiale et dans les dispositions de certains personnages, dont Azarius Lacasse, envers la France. Gabrielle Roy s'en prend parfois, non sans ironie, aux préjugés d'ordre racial de certains personnages:

> — Ben quiens! dit Pitou. On est pas pour laisser tout le monde se faire battre comme les Palonais.
> — Les Palonais, les Palonais! éclata la mère Philibert. C'est pas de not'monde, ça! ...Oh! tu me diras pas, fit la grosse Emma, que les Palonais, les Ukariens, c'est comme nous autres. Ça bat leurs femmes, ça se nourrit à l'ail[3].

Avant de partir à la guerre, Emmanuel propose à Florentine de visiter Caughnawaga avec lui, ce à quoi elle réplique: "Ben, t'as rien que deux semaines, on est pas pour aller courir chez les sauvages...[4]".

Nous remarquons aussi, à plusieurs reprises, de brèves évocations de l'Autre, surtout à travers des descriptions de l'immuable et lointain bastion qu'est Westmount.

La famille Tousignant et le marchand Bessette, qui se sont exilés du Québec pour s'installer au fond du Manitoba, sont entourés d'immigrants dans *la Petite Poule d'Eau*: Nick Sluzick, Ivan Bratislovsky, Abe Zlutkin, les Bjorgsson. Le portrait de Miss O'Rorke, l'institutrice, "créature stupéfiante, prude à l'excès, férue d'hygiène, qui avait des principes sur tout, une vieille fille de l'Ontario, qui ne parlait pas un mot de français, protestante par surcroît[5]", frôle parfois la caricature!

Le capucin de Toutes-Aides, le père Joseph-Marie, lui-même de père belge et de mère russe, fréquente "l'une des régions les moins peuplées au monde, un triste pays perdu où l'on rencontre pourtant des représentants d'à peu près toutes les races de la terre. Autant de nationalités qu'il y a, entre ces lacs, d'exilés[6]". Il s'apitoie sur le sort des "pauvres métis [qui], exploités déjà dans leur origine, l'étaient encore maintenant, par les marchands de plaisir de toutes sortes qui profitaient de leur simplicité[7]". L'exploitation éhontée des trappeurs métis n'est pas sans annoncer celle des Esquimaux par la compagnie de la Baie d'Hudson dans *la Rivière sans repos*. Toujours dans *la Petite Poule d'Eau*, Gabrielle Roy complète ce véritable tour d'horizon des immigrants en accordant une assez large place à la grande fête ukrainienne de Rorketon, au chapitre cinq, fête qui rappelle celle que Gabrielle Roy, journaliste, décrit dans "Petite Ukraine" dans la série de reportages, "Peuples du Canada", et à la danse chez le trappeur métis Tom Mackenzie, au chapitre dix.

Les étrangers sont partout présents dans *Alexandre Chenevert*, figurant sans cesse au nombre croissant des préoccupations souvent accablantes d'Alexandre, qui ira jusqu'à lier son propre sort à celui de Gandhi. Malgré certaines dispositions charitables à l'endroit de l'humanité, il se montre la plupart du temps très sévère lorsqu'il juge des diverses ethnies qui peuplent le globe. Aux Anglais, il reproche "leur goût de domination[8]" et voit en eux "un ennemi héréditaire, proposé par l'histoire, l'école, l'entourage[9]". Les Français ne trouvent pas davantage faveur à ses yeux; ils ont "fait tort à la religion par de mauvais livres et par le nombre de leurs libres penseurs[10]". Aux Juifs il reproche de contrôler certains secteurs de l'économie; aux Américains "d'avoir proposé le progrès matériel comme but essentiel de la vie[11]". Il est même amené à se demander si les Japonais "se remettraient à fabriquer des jouets à bon marché[12]" après la guerre.

Faut-il accuser Alexandre de racisme? N'oublions pas qu'il se livre aussi à une sévère critique des siens, à qui il reproche tous les défauts de l'humanité. Il serait plus juste, au fond, de lui reprocher un manque considérable de charité, car Alexandre ne cherche pas, en énumérant les tares des autres, à mettre davantage en relief ses propres vertus.

Enfin, rappelons en passant le portrait très rapide du gérant de la banque où travaille Alexandre: Emery Fontaine, homme ambitieux et sûr de lui-même, cherche à organiser sa vie selon l'exemple de l'homme d'affaires anglo-canadien typique; il lui arrive souvent de penser en anglais. Encore un être partagé, pour reprendre l'expression d'Albert Le Grand.

Dans *Rue Deschambault* les immigrants et les étrangers figurent de façon épisodique dans certains récits, entre autres: "Les deux nègres", "Pour empêcher un mariage", où les Doukhobors brûlent un pont pour souligner leur désaccord avec une loi du gouvernement; "Les déserteuses" (Mrs. O'Neill est Irlandaise); "Le puits de Dunrea", où il s'agit d'une petite colonie de Blancs-Russiens ou Ruthènes établie par le père de Christine, narratrice du récit; "l'Italienne" (Giuseppe et Lisa Sariano sont immigrants italiens de Milan); dans "Whilhelm", le premier cavalier de Christine est un Hollandais.

Dans *la Montagne secrète* tous les personnages, sauf Orok, l'Esquimau, sont étrangers au Grand Nord. Pierre Cadorai vient d'ailleurs, le père Le Bonniec est Breton d'origine. Même lorsqu'il se trouve à Paris,

Pierre se lie d'amitié avec un Français de souche polonaise, Stanislas Lanski.

Les immigrants figurent dans les quatre récits d'*Un Jardin au bout du monde*: les Canadiens français dans "Un vagabond frappe à notre porte"; Sam Lee Wong (Chinois) et le vieux Smouillya (Français) dans "Où iras-tu Sam Lee Wong?"; les Doukhobors dans "La vallée Houdou"; les Ukrainiens dans "Un jardin au bout du monde", cette dernière nouvelle donnant son titre au recueil.

Enfin, en guise de conclusion à ce survol rapide de l'oeuvre de Gabrielle Roy, rappelons que tous les enfants dans *Ces enfants de ma vie* sont des fils d'immigrants: Vincento, Clair, Nil, les Demetrioff, André et Médéric.

De tous les portraits d'êtres déracinés que Gabrielle Roy donne, c'est celui d'Elsa dans *la Rivière sans repos* qui demeure le plus nuancé, le plus convaincant. Comme nous le verrons plus loin, la romancière ne s'intéresse pas à Elsa uniquement comme symbole: en réalité, ce personnage à la fois tragique et attachant s'inscrit tout à fait dans l'optique de l'orbite maternelle dont nous avons parlé plus haut; sa marginalité et son sort, pour aussi tragiques qu'ils soient, sont inextricablement liés à la situation de nombre d'autres personnages de Gabrielle Roy.

Nous avons déjà souligné l'intérêt que portait Margaret Laurence aux peuples indigènes pendant plusieurs séjours qu'elle fit dans différents pays de l'Afrique. Les liens entre les Africains et les colonisateurs européens, ainsi que les conflits qui naissent de l'affrontement de cultures très divergentes, font l'objet d'un examen attentif dans *This Side Jordan* et *The Tomorrow-Tamer*. Il serait pertinent de rappeler que Roy et Laurence, une fois exilées elles-mêmes, se sont très vite intéressées aux gens qui les entouraient. Partie du Manitoba, Gabrielle Roy est devenue "étrangère" en Europe et pendant un certain temps, à Montréal; il en va de même pour Margaret Laurence en Afrique.

La vision qu'a Gabrielle Roy des immigrants et des étrangers est souvent étroitement liée à sa conception du progrès. La perception de Margaret Laurence des Africains, et plus tard des Métis, incarnés par la famille Tonnerre, repose essentiellement sur sa conception de la dépossession de l'individu et ses tentatives de réconciliation avec lui-même et son passé.

Dans le cycle de Manawaka, les Tonnerre demeurent tout à fait en marge du récit, comme ils vivent tout à fait en marge de la société blanche. Les Métis sont coupés de leur passé; n'étant ni Blancs ni Cris pur sang, ils sont les êtres partagés par excellence, symboles de l'esprit divisé qui cherche à résoudre l'éternel conflit entre la nature et la culture. Comme Elsa, les Tonnerre ne peuvent que difficilement retourner aux valeurs anciennes, et ils ignorent tout de leur avenir. Nous les rencontrons dans *A Bird in the House, The Stone Angel* (très brièvement), *The Fire-Dwellers* et *The Diviners.*

Ajoutons que les Tonnerre ne sont pas les seuls "étrangers" à figurer dans le cycle de Manawaka. En effet, dans la société très rigidement hiérarchisée du village, tout ce qui n'est pas d'origine irlando-écossaise, selon les perspectives, est inférieur et marginal, car les pionniers écossais et irlandais sont très imbus d'un sentiment de supériorité. Dans *The Stone Angel*, Hagar Shipley est profondément vexée de devoir servir des Métis et Galiciens qui aident son mari pendant la récolte; elle se garde bien, toutefois, de dissimuler son mépris à leur égard. Dans *A Jest of God*, Rachel Cameron, rendue à un âge où elle est tout à fait capable de penser pour elle-même, se souvient que sa mère a toujours défendu aux soeurs Cameron de jouer avec les enfants d'"immigrants", qu'elle appela les *Galicians* ou les *Bohunks*, ce dernier terme étant très péjoratif. Adulte, Rachel aura une brève liaison amoureuse avec Nick Kazlik, qui est en réalité Ukrainien, malgré les admonestations de sa mère. La condescendance et le mépris de celle-ci sont très ironiques, car tous les habitants de Manawaka, à l'exception des Tonnerre, sont des immigrants et des étrangers.

On a très rarement présenté une image des Indiens et des Esquimaux tels quels dans les littératures québécoise et canadienne; leurs quelques rares apparitions se limitent la plupart du temps à une présence épisodique ou purement symbolique. C'est surtout pendant les années soixante que certains écrivains ont cherché à expliquer la présence des Indiens et des Esquimaux dans l'histoire, ainsi que "l'absence historique des autochtones dans la littérature canadienne[13]", bien que cet intérêt découle souvent d'un sentiment de culpabilité.

Au Québec ce sont les oeuvres de Yves Thériault (dont l'univers romanesque est peuplé des petites communautés, des oubliés et de leur solitude) qui sont les plus représentatives de ce que l'on pourrait qualifier à juste titre de nouvelle prise de conscience. *Agaguk* (1958), *Ashini* (1960), *Tayaout, fils d'Agaguk* (1971) et *N'Tsuk* (1971) entre autres[14] révèlent chez Thériault un grand souci de sensibiliser le lecteur au point de vue des autochtones. D'aucuns ont voulu voir dans les oeuvres un commentaire à peine dissimulé sur les problèmes des Québécois. Les rapports entre les Esquimaux et les Indiens d'une part, et les Blancs, d'autre part, seraient semblables aux rapports entre les Québécois et les Canadiens anglais. Toutefois, Thériault semble dissiper tout doute à ce sujet lorsqu'il affirme: "...les Canadiens français — les Blancs, si vous voulez — sont trop banals pour vraiment m'inspirer. Si j'écris sur eux, c'est au niveau de l'ironie et presque du sarcasme[15]".

Au Canada anglais divers écrivains se sont servis des autochtones à différentes fins dans leurs écrits. Emily Carr, connue avant tout comme peintre, constata la lente et inexorable disparition des Haida et autres tribus indiennes de la côte du Pacifique dans *Klee Wyck* (1941). Farley Mowat, après un séjour de deux ans parmi les Ihalmiut du Grand Nord, a fait part de l'agonie de ce peuple en voie d'extinction (il n'en restait qu'une quarantaine à l'époque où Mowat séjournait parmi eux) dans *People of the Deer* (1951). Dans *The Incomparable Atuk* (1963) et *Beautiful Losers (1969),* Mordecai Richler et Leonard Cohen, respectivement, se servent de l'Esquimau et de l'Indien, mais à titre plutôt symbolique. Pendant les années soixante-dix ont paru maintes oeuvres à résonance sociologique: *How a People Die* de Alan Fry (1970); en 1973, *Riverrun* de Peter Such, sur les Béothuks de Terre-Neuve; *Vanishing Point* de W.O. Mitchell, sur les Stony d'Alberta; *The Wabeno Feast* de Wayland Drew, sur les Algonquins; et *The Temptations of Big Bear* de Rudy Wiebe, fresque historique portant sur les Cris à l'époque de la rébellion de 1885.

Les Esquimaux et les Indiens tels qu'ils figurent dans les oeuvres de Roy et de Laurence sont essentiellement des êtres tragiques. Dans l'oeuvre de Gabrielle Roy, *la Rivière sans repos* est unique surtout en raison de sa spécificité géographique; cependant, le portrait d'Elsa Kumachuk s'inscrit tout à fait dans l'ensemble des préoccupations de la romancière. Certaines affirmations dans *le Thème "Terre des hommes"* annoncent très clairement les sombres récits de Deborah, Barnaby et Isaac (dans les "Nouvelles esquimaudes") ainsi que celui d'Elsa:

> ...nous savons bien dans le fond que nous ne sommes pas faits expressément pour être heureux — du moins dans une perspective immédiate. Nous savons que nous sommes conviés d'abord à parcourir un rude et long chemin vers un but obscur qu'on appelle salut, progrès, évolution, universalité ou fraternité.
>
> ...À certaines heures, quelque chose ne s'émeut-il pas en nous à la pensée qu'il faut toujours sacrifier beaucoup de bonheur simple et naturel au nom du progrès[16]?

Dans *la Rivière sans repos* Gabrielle Roy analyse la difficile adaptation des Esquimaux au progrès et le conflit entre deux cultures, l'une technologique et dynamique, l'autre primitive et statique. Ce faisant, elle reproche aux Blancs leur incompréhension de l'âme esquimaude. Le dilemme fondamental des Esquimaux, qui est celui des Indiens également, est bien exprimé par le vieux Thaddeus: "C'est toute l'histoire de l'homme au fond...que ce choix trop difficile entre la vie au grand large, fière et indomptable, ou avec les autres, dans la cage[17]". Selon Northrop Frye, "l'aliénation et le progrès sont deux éléments clés de notre mythologie[18]"; qui plus est, "la technologie telle quelle ne peut libérer davantage les êtres humains, car les innovations technologiques atteignent la structure de la société qui, pour les restreindre, met en vigueur un nombre correspondant de contraintes[19]".

Les trois "Nouvelles esquimaudes" situent très clairement la problématique de *la Rivière sans repos*; en faisant du Grand Nord le lieu de ses récits, Gabrielle Roy met davantage en relief l'affrontement déchirant entre la vie traditionnelle des Esquimaux et la civilisation blanche. En revanche, dans les oeuvres de Margaret Laurence où paraissent les Tonnerre, le conflit se situe à un autre niveau, car les Métis sont coupés d'une tradition indienne authentique.

Tous les personnages des "Nouvelles esquimaudes" et de *la Rivière sans repos* portent des noms anglais, comme les Africains "convertis" dans les récits de Margaret Laurence: l'attribution d'un tel nom constitue, symboliquement et concrètement, une étape importante dans la prise en charge des Esquimaux, dans leur transformation en êtres "civilisés".

Dans "Les satellites" le conflit naît de deux conceptions diamétralement opposées de la vie: les Esquimaux sont beaucoup moins attachés à la vie que les Blancs. Les Esquimaux, très près de la nature, ne cherchent pas à éluder la mort quand est venu le moment de mourir. Deborah accepte de se faire soigner dans un hôpital du Sud, moins par souci de prolonger inutilement sa vie que par nostalgie du passé. Sa rencontre avec la civilisation blanche est lourde de conséquences: "À l'instar de ceux de sa race, elle [finit donc] par prendre à la civilisation ces deux choses qui paraissent s'exclure: le savon pour la propreté et la clarté; le tabac pour brouiller les idées et salir les doigts[20]". Malgré son déchirement intérieur, Deborah choisit en fin de compte les valeurs traditionnelles de son peuple et mourra de la même manière que la Vieille. Le contraste entre ces traditions et la civilisation technologique des Blancs est souligné de façon saisissante par l'image de la Vieille

> assise au milieu de son socle de glace — un îlot blanc sur la furieuse mer noire — et qui continuait à tourner, tourner au bout du monde, dans les dernières eaux libres de la terre, tout comme ces satellites aujourd'hui, ces curieux objets...que l'on allait suspendre dans le ciel pour que jamais plus ils n'en descendent[21].

Dans "Le téléphone", cet appareil bouleverse très largement les habitudes de Barnaby, l'incitant à la fainéantise et à toutes sortes d'espiègleries dans son village. D'une part, les Blancs, du moins ceux de la compagnie de téléphone, pressent les Esquimaux d'accepter le nouveau jouet. Le téléphone est tout à fait étranger aux habitudes et aux modes de communication de ceux-ci. D'autre part, ils leur reprochent de s'en servir sans raison valable. Le téléphone entraîne la servitude; en même temps, c'est un symbole de l'asservissement qu'entraîne le matérialisme des Blancs. Abandonnant la plupart de ses effets, dont le téléphone, telle une image de Dali, "à moitié enfoncé dans le sable", Barnaby reprend la route vers la nature et la liberté.

Le dilemme de l'Esquimau hésitant entre les valeurs traditionnelles et celles que lui offre la civilisation blanche trouve son écho de nouveau dans "Le fauteuil roulant", où il est question de garder en vie le plus longtemps possible, "de gré ou de force[22]", le vieil Isaac. Bien que le fauteuil roulant permette au vieillard une certaine mobilité, il aide en même temps à prolonger sa vie. Isaac dans son fauteuil roulant trône comme "un vieux roi...dépossédé[23]". Les Esquimaux ont honte de leurs traditions, en raison de l'enquête qui a suivi la mort de Deborah; les tentatives d'Isaac de mettre fin à ses jours échouent. Selon Esmeralda, sa bru, "Il faut vivre à présent...[24]".

Il existe de nombreuses affinités entre Elsa Kumachuk et les autres personnages de Gabrielle Roy dont nous avons déjà parlé. Dans l'optique de la présente étude, nous nous intéresserons à Elsa en tant que mère de famille et être marginal. Elle l'est doublement, d'abord parce qu'elle est Esquimaude — et les Esquimaux sont historiquement des êtres marginalisés — ensuite parce qu'elle vit tout à fait en marge de la communauté esquimaude à différentes époques de sa vie, sans pour autant s'intégrer à la communauté blanche.

Chez Elsa, nous constatons le même dévouement maternel, allant jusqu'au sacrifice de soi, les mêmes soucis d'ordre matériel, que chez Rose-Anna Lacasse. Comme celle-ci, Elsa se sacrifie corps et âme pour le mieux-être de son enfant. Elle est seule à subvenir à ses besoins, car

Jimmy est le fruit d'une triste liaison on ne peut plus passagère avec un soldat américain. Comme Luzina Tousignant, elle est consciente de l'importance de l'éducation; malgré sa propre scolarité très modeste, elle a le souci d'apprendre à lire et à écrire à son fils. Elle a aussi le goût de Florentine Lacasse pour les toilettes et les chapeaux: elle se pare souvent de vêtements singulièrement mal adaptés aux dures réalités de son environnement, son engouement pour les habitudes vestimentaires des Blancs primant par moments sur la raison. Enfin, elle est aussi la soeur spirituelle d'Alexandre Chenevert, dans la mesure où elle s'intéresse vivement à la guerre, et aux peuples dont le sort semble en quelque sorte lié au sien. Rappelons qu'elle doit son fils à la guerre, et qu'elle le perdra à la guerre, triste ironie au fond, car la guerre est étrangère aux moeurs esquimaudes.

Les rapports entre mères et filles, étudiés très attentivement par Gabrielle Roy surtout dans *Bonheur d'occasion* et *la Route d'Altamont* (que l'on songe seulement aux trois générations représentées par madame Laplante, Rose-Anna Lacasse et Florentine), trouvent leur écho dans *la Rivière sans repos*, comme nous le verrons plus loin.

Le récit d'Elsa est fortement marqué de fatalisme; son destin semble inexorablement dirigé par des circonstances sur lesquelles elle n'exerce aucun contrôle. Ce n'est pas de son plein gré qu'elle tombe enceinte. Lorsque Elsa, Jimmy et l'oncle Ian cherchent à s'éloigner des autorités blanches qui veulent que Jimmy fréquente l'école, une tempête et la maladie de ce dernier les empêchent de fuir. À deux reprises dans sa vie, Elsa essaie d'adopter les coutumes des Blancs: au fur et à mesure de son assimilation, elle est de plus en plus aliénée de la culture esquimaude et de sa personnalité propre. Son image de la civilisation blanche repose essentiellement sur la communauté blanche de Fort-Chimo et le cinéma, moyen de dépaysement et d'évasion, "un songe merveilleux[25]".

La naissance de son fils aux yeux bleus et aux cheveux blonds, naissance "miraculeuse" en quelque sorte, provoque en Elsa un profond déchirement. Puisque son enfant ne ressemble en rien à un Esquimau, elle cherche à l'élever selon les habitudes des Blancs. Petit à petit, la routine de l'enfant s'impose à Elsa. Il se crée autour de lui toutes sortes de besoins inutiles; sa mère devient de plus en plus obsédée par l'idée de se procurer encore quelque objet pour lui. Fatalement, il y a de plus en plus d'objets qui lui font envie, de sorte qu'Elsa doit se résoudre à travailler encore davantage. Ce cercle vicieux nous rappelle celui dans lequel se trouvait Alexandre Chenevert, condamné à travailler de plus en plus pour payer des médicaments qui lui permettaient de travailler de plus en plus.

Les ambitions matérialistes d'Elsa l'éloignent de sa propre mère: la passivité et la douceur innée de la vieille Winnie constituent une sorte de reproche à son endroit. Elle éprouve le même sentiment de rejet de sa mère que nous avons remarqué chez Florentine: "...il arrivait à Elsa, en examinant sans bonté la pauvre Winnie tout édentée, peu soigneuse de sa personne, de se dire que ce ne pouvait être là sa mère[26]". Plus tard, en voyant de nouveau la vieille Winnie telle qu'elle est, Elsa ressent du dégoût à son égard, ce qui rappelle une réaction semblable chez Florentine.

> Elle vit alors, comme pour la première fois de sa vie, une Esquimaude bouffie de sommeil et de trop manger, toujours à fumer ou à rouler quelque bouchée entre ses gencives usées, l'être humain auquel elle tenait le moins à ressembler, peut-être même sa pire ennemie, en tout cas un obstacle dans la marche qu'elle poursuivait vers un but d'ailleurs sans cesse se dérobant[27].

Malgré qu'elle rejette et méprise sa mère, Elsa finit par lui ressembler:

> À quarante ans, elle eut tout l'air d'une vieille femme. Dans ses robes sans plus de couleur, aux pieds des bottes dépareillées, grise comme la terre, ne regardant plus le monde que d'un oeil, l'autre clos dans la fumée de cigarette, elle ressemblait de plus en plus à sa défunte mère[28].

La vie d'Elsa est une véritable litanie de déceptions amères; toutes les mères que nous avons étudiées chez Gabrielle Roy sont très lourdement marquées par leurs responsabilités maternelles, très rarement épanouies, accablées de toutes sortes de soucis d'ordre matériel, condamnées, en somme, à ne goûter que des joies éphémères ou chimériques. C'est certainement à dessein que Gabrielle Roy brosse, même très rapidement, le portrait de madame Beaulieu, qui semble avoir tout pour être heureuse ("de beaux enfants, une riche maison..., un intérieur douillet..., et surtout un mari aimant[29]"). Toutefois, madame Beaulieu est en réalité malheureuse et sombre "dans une mélancolie profonde qui [paraît] inguérissable[30]". Bien qu'elle soit comblée sur le plan matériel, cette aisance ne semble pas lui procurer le bonheur escompté: "Depuis la naissance de son troisième enfant, elle semblait être entrée par mégarde en d'étranges corridors compliqués dont elle n'arrivait pas à trouver la sortie et où personne ne pouvait la rejoindre[31]". Dans l'esprit d'Elsa, le bonheur se mesure justement en fonction de l'accumulation d'objets, et elle est désemparée par le malheur de sa patronne, qui souffre du "dégoût ou [de] l'inutilité de vivre[32]".

Coincée entre les deux mondes, Elsa va "d'excentricité en excentricité[33]"; comme d'autres mères chez Gabrielle Roy, elle est de plus en plus portée aux rêveries et se voit souvent envahie par la nostalgie du passé. "[Le dimanche] ne manquait jamais de renouveler en elle le sentiment que l'on n'est pas uniquement en ce monde pour y accomplir ses tâches quotidiennes, mais aussi pour accorder de la place aux rêveries de l'âme qui l'élèvent et la reposent[34]". À un autre moment, "les images de sa vie [se défont] dans sa tête, et [fuient] l'une devant l'autre telles les grands nuages de ces jours tranquilles auprès de la Koksoak[35]".

S'étant exilée une fois de Fort-Chimo pour y revenir par la suite, Elsa se met de nouveau "carrément du côté des Blancs[36]". Pour subvenir aux besoins de Jimmy, pour lui procurer les friandises dont il raffole, elle se met à fabriquer des souvenirs esquimauds pour le compte du magasin de la Baie d'Hudson; le fruit de son labeur est vite récupéré par le magasin. L'installation d'un générateur d'électricité chez Elsa lui permet de coudre plus tard dans la soirée. Ce "progrès" dissimule en réalité un asservissement. Jimmy s'évade un jour de Fort-Chimo pour devenir plus tard pilote dans l'Armée de l'air américaine au Vietnam; son enfant parti, Elsa se retrouve sans raison d'être. Sa détresse devant le vide ainsi créé dépasse largement celle de Luzina lors du départ de ses enfants. Tout à fait démunie, incapable de réagir efficacement dans le déroulement de sa propre vie, elle finit par se résigner à son sort. "Par étapes elle glissa dans la fainéantise et l'habitude de toujours rêvasser qui étaient sans doute le fond de son caractère et qu'elle n'avait surmontées que par un perpétuel élan d'amour[37]".

La famille Tonnerre, qui apparaît à plusieurs reprises dans l'oeuvre de Margaret Laurence, est victime au même titre qu'Elsa de l'incompréhension de la société blanche. Métis, les Tonnerre sont souvent méprisés parce qu'ils ne sont ni Blancs ni Indiens; il sont également méprisés lorsque leurs tentatives de s'intégrer à la société blanche échouent.

Dans un article consacré à la littérature des Prairies, Henry Kreisel rappelle que

> la conquête d'un territoire est implicitement un processus violent. Dans l'Ouest canadien, comme partout ailleurs sur le continent nord-américain, cette conquête a entraîné le déplacement des autochtones par des moyens souvent scandaleux ainsi

> que l'apprivoisement de la terre elle-même. Ce déplacement, la conquête des Indiens, et la rébellion métisse dirigée par Riel survenue plus tard, tous ces événements sont de manière significative absents de la littérature en question. De temps en temps le souvenir de Riel surgira à l'esprit de quelque personnage, d'habitude un vieillard se souvenant d'une époque troublée; de temps en temps un Indien paraîtra pour disparaître aussitôt après[38].

Dans le cycle de Manawaka de Margaret Laurence le lien entre la famille Tonnerre et la rébellion de 1885 occupe une place importante dans la narration: il sert de trait d'union entre le présent et le passé, dont les Tonnerre sont tributaires mais aliénés, et pour Jules et Pique, il devient un moyen permettant la revalorisation de soi.

Nous rencontrons les Tonnerre pour la première fois (bien que brièvement) dans *The Stone Angel.* Lorsque John Shipley a six ans, Hagar lui confie l'épingle de tartan écossais des Currie, bijou de famille auquel elle tient énormément et qu'elle veut garder dans la famille. Déjà à cette époque, John fréquente les garçons Tonnerre: la description qu'en fait Hagar est très révélatrice de l'attitude de la plupart des citoyens bien-pensants et peu charitables de Manawaka à leur endroit:

> *They were French half-breeds, the sons of Jules, who'd once been Matt's friend, and I wouldn't have trusted any of them as far as I could spit. They lived all in a swarm in a shack somewhere — John always said their house was passably clean, but I gravely doubted it. They were all tall boys with strange accents and hard laughter*[39].

Plus tard, John avouera avoir échangé l'épingle contre un couteau avec Lazarus Tonnerre; par la suite, il cédera le couteau à Christie Logan afin de s'acheter des cigarettes. Ces deux objets, symboles des Écossais et des Indiens, réapparaîtront dans *The Diviners:* leur cheminement symbolise en quelque sorte la réconciliation des personnages avec leur héritage culturel. Morag Gunn reçoit le couteau en question des mains de Christie Logan, avec qui John l'a troqué pour des cigarettes. Elle le remettra à Jules Tonnerre plus tard: ainsi, un bien culturel aliéné est restitué à son véritable héritier. De crainte qu'il ne soit accusé d'avoir volé l'épingle obtenu de John Shipley, Lazarus Tonnerre la garde pendant un certain temps avant de la céder à Jules, qui la remettra à Morag par la suite. Bien que cette épingle n'ait jamais appartenu à Morag, elle est un puissant symbole de son héritage écossais.

Dans "*The Loons*" (*A Bird in the House*), nous voyons les Tonnere à travers les yeux de la jeune Vanessa MacLeod. Sa description de la demeure des Tonnerre, de leur histoire ainsi que de leur situation sociale est assez révélatrice. Nous nous permettons de citer un assez large extrait de la nouvelle en question, car la perception qu'a Vanessa de la famille Tonnerre, très axée sur les apparences et sur certains préjugés courants, est sensiblement la même que celle d'autres personnages dans d'autres oeuvres:

> *Just below Manawaka, where the Wachakwa River ran brown and noisy over the pebbles, the scrub oak and grey-green willow and chokecherry bushes grew in a dense thicket. In a clearing at the centre of the thicket stood the Tonnerre family's shack. The basis of this dwelling was a small square cabin made of poplar poles and chinked with mud, which had been built by Jules Tonnerre some fifty years before, when he came back from Batoche with a bullet in his thigh, the year that Riel was hung and the voices of the Métis entered their long silence. Jules had only intended to stay the winter in the Wachakwa Valley, but the family was still there in the thirties, when I was a child. As the Tonnerres had increased, their settlement has been added to, until the clearing at the foot of the town hill was a chaos of lean-tos, wooden packing cases, warped lumber, discarded car tires, ramshackle chicken coops, tangled strands of barbed wire and rusty tin cans.*
>
> *The Tonnerres were French halfbreeds and among themselves they spoke a patois that was neither Cree nor French. Their English was broken and full of obscenities. They did not belong among the Cree of the Galloping Mountain reservation, further north, and they did not belong among the Scots-Irish and Ukrainians of Manawaka, either. They were, as my Grandmother MacLeod would have put it, neither flesh, fowl, nor good salt herring. When their men were not working at odd jobs or as section hands on the C.P.R., they lived on relief*[40].

Lorsque Vanessa a onze ans, Piquette Tonnerre, alors âgée de treize ans, est invitée à passer l'été au lac avec les MacLeod. Le père de Vanessa, qui est médecin, a soigné Piquette, atteinte de tuberculose osseuse. Vanessa connaît très peu les Indiens et elle imagine chez Piquette un héritage bien exotique, lui attribuant des pouvoirs presque magiques devant la nature. Piquette, silencieuse et renfermée, rejette les tentatives de Vanessa de se lier d'amitié avec elle; sa présence demeure "*a reproach and a mystery*[41]".

Piquette est âgée de dix-sept ans mais a l'air de vingt quand Vanessa la rencontre de nouveau. Elle veut à tout prix quitter Manawaka, et lorsqu'elle annonce son mariage prochain (à un Anglais à Winnipeg), Vanessa devine, inscrite sur son visage, la trace d'un espoir terrifiant. Trois ans plus tard Piquette revient à Manawaka: elle a deux petits enfants, son mari l'a abandonnée; elle réintègre la maison familiale où elle s'occupe de son père et de ses frères. Elle grossit, elle boit à l'excès, tout se détériore dans sa vie. Un soir, ivre morte, elle périt avec ses enfants dans la rude baraque en feu. Ce n'est que le premier d'une série d'incidents tragiques qui marqueront la vie des Tonnerre, incidents dont nous prenons connaissance selon le point de vue des autres personnages: ce n'est que très rarement que les Tonnerre se racontent eux-mêmes. On fera allusion à l'incendie de la maison dans *The Fire-Dwellers* - c'est Stacey MacAindra qui en parle - et dans *The Diviners*, où Morag Gunn, alors journaliste, sera envoyée par son employeur faire un reportage sur l'incendie pour le *Manawaka Banner*.

Le triste sort de Piquette et la vie tragique de sa soeur Valentine nous rappellent que ce sont les personnages féminins chez Roy et Laurence qui ressentent le plus douloureusement les difficultés de vivre, et dans le cas des Esquimaudes et des Indiennes, d'adaptation à la société blanche. Dans *The Fire-Dwellers* Stacey MacAindra rencontre Val Tonnerre au hasard d'une promenade dans Vancouver. Horriblement maquillée, ses cheveux en broussaille, son corps difforme, ses vêtements chiffonnés, Val est un triste spectre. Stacey ne la reconnaît même pas de prime abord; aussitôt après, elle se rappelle leur baraque près de Manawaka, et les grandes lignes de l'histoire de la famille. Comme Vanessa, elle revoit surtout l'aspect extérieur des choses, se fiant beaucoup aux apparences. Elle recompose dans son esprit une image de l'univers des Tonnerre qui semble reposer sur le détritus de la civilisation blanche. Comme Barnaby, ils collectionnent systématiquement tout ce que rejettent les Blancs. Ils vivent "*in ramshackledom, belonging nowhere. And Jules begat Lazarus, and Lazarus begat a multitude. Stacey Cameron at school saw the straggling tribe of kids only as* those Tonnerres. *Their name meant thunder but she did not know until a long time after*[42]". Stacey est envahie de remords en songeant au sort que les gens de Manawaka réservait à Val et sa famille; toutefois, elle est incapable de s'identifier pleinement à la situation de l'Indienne. La santé de Val est irrémédiablement minée par la drogue et l'alcool; elle achève son suicide lent à l'âge de trente-sept ans en faisant le trottoir. Jules Tonnerre racontera sa mort à Morag dans *The Diviners*.

L'apparition et la réapparition de certains personnages dans les cinq oeuvres confèrent au cycle de Manawak une très grande unité. Dans *The Diviners* nous retrouvons Piquette Tonnerre (ainsi que Vanessa MacLeod); toutes deux sont camarades de classe de Morag Gunn. Bien qu'elle soit elle-même démunie, Morag porte des jugements pleins de condescendance à l'endroit de Piquette: si l'infériorité de Morag découle de sa situation socio-économique, Piquette est méprisable (aux yeux de ses pairs) surtout parce qu'elle est Métisse.

> *Also, one of the Tonnerre girls, halfbreed from the valley, is worse dressed; she's away a lot because of TB in one leg but when she* is *at school she looks the worst because her dresses are long-gawky and dirty, and she has a limpwalk*[43].

Morag Gunn est le seul personnage dans les romans du cycle de Manawaka à se rapprocher des Tonnerre bien qu'elle semble nourrir les mêmes préjugés à leur endroit que ses camarades de classe. Skinner (Jules), le frère de Piquette, "*is mean. He knows a lot of swear words and isn't afraid to use them to make girls feel silly or cheap*[44]". La situation de Morag est presque aussi humble que celle des Tonnerre, mais son attitude est souvent teintée de condescendance:

> *The Tonnerres (there are an awful lot of them) are called* those breeds, *meaning half-breeds. They are part Indian, part French, from away back. They are mysterious. People in Manawaka talk about them but don't talk to them. Lazarus makes homebrew down there in the shack in the Wachakwa valley, and is often arrested on Saturday nights. Morag has heard. They are dirty and unmentionable*[45].

Quel que soit le point de vue narratif, la perception des personnages est à quelques nuances près la même. Bien que leurs rapports avec les Tonnerre soient sensiblement différents, Hagar Shipley, Stacey MacAindra et Vanessa MacLeod aperçoivent les Indiens de la même façon.

Morag et Jules sont tous deux des êtres marginaux à Manawaka et ils finissent par découvrir entre eux une certaine complicité. L'un reconnaît dans l'autre sa propre marginalité, et il n'est pas surprenant qu'ils se lient d'amitié. Avant de terminer ses études secondaires, Jules s'enrôle dans l'Armée et quitte Manawaka. Deux ans plus tard il revient, et lorsqu'il voit Morag, il l'amène à la cabane dans la vallée; c'est alors que Morag découvre, grâce à lui, l'amour et le sexe. Cette visite permet au lecteur de mieux connaître l'univers des Tonnerre; à travers les yeux de

Morag nous découvrons l'intérieur de leur maison, dont le désordre correspond à l'image que nous offrent les alentours. Deux éléments du décor sautent aux yeux, et en disent long sur les attitudes et les valeurs de la famille de Jules. Sur les murs, Morag remarque, "*a calendar from two years back... and Jesus with a Bleeding Heart, his chest open and displaying a valentine-shaped heart pierced with a spiky thorn and dripping blood in neat little drops*[46]". À partir de ces deux éléments du décor, nous devinons le peu d'importance que les Tonnerre attachent au temps ou à la façon blanche de comptabiliser les heures, les jours et les semaines. Autrefois, les Indiens ordonnaient leur vie selon le rythme des saisons et les impératifs de la nature. Comme les Esquimaux, ils ont été aliénés de cette conception du temps tout à fait naturelle en s'efforçant de suivre le rythme que leur impose la civilisation blanche. Ce sont sans doute ces contraintes contraires à leurs habitudes et à leurs traditions qui ont amené les hommes à renoncer aux emplois temporaires qu'ils obtiennent.

Le Christ agonisant reflète de manière éloquente la violence sociale subie par les Tonnerre, c'est aussi un puissant symbole d'un dogme qui repose sur la violence même. Ce Christ, qui semble sans miséricorde et qui ne porte aucun secours aux Tonnerre, doit leur être d'une mince consolation. Il rappelle en même temps l'absence quasi totale de fraternité et de charité de la part des gens de Manawaka, qui se disent pourtant de bons chrétiens, envers les Indiens.

Le déclin des Tonnerre se poursuit. Lazarus, le père, est un ivrogne braillard que sa femme a quitté. Ayant abandonné l'école après la troisième année, il a fait tous les métiers sans jamais en trouver un qui lui convienne. Pour faire manger sa famille, il se voit souvent contraint de prendre au piège des lapins. Son fils, Paul, se noie dans des circonstances mystérieuses en compagnie de plusieurs touristes américains (dont il était le guide); les nombreuses tentatives de son frère, Jacques, de faire ouvrir une enquête n'aboutissent à rien.

Jules, comme tant d'autres personnages chez Roy et Laurence, cherche à ne pas répéter les erreurs de ses parents: il rejette carrément la façon de vivre de son père, rejetant du même coup le peu qu'il lui reste de son héritage indien. Là où Pierre Cadorai se découvrait à travers la peinture et Morag Gunn à travers l'écriture, Jules, artiste à sa manière, essaie de redécouvrir son passé et comprendre son présent, à travers la musique. Sa propre vie est en quelque sorte le microcosme du dépérissement de son peuple; le long silence des Métis évoqué plus haut doit prendre fin. Jules, comme Morag, doit se raconter. L'art devient un moyen de se réconcilier avec son passé. Comme Elsa, qui fabrique des souvenirs esquimauds pour vivre, Jules chante pour gagner sa vie, et les contraintes d'ordre matériel entraînent fatalement certains sacrifices qui portent souvent atteinte à l'intégrité et à la dignité de l'être. Malgré ces efforts, les deux personnages sont de plus en plus marginalisés: même le recouvrement d'une partie de leur identité à travers l'art ne permet pas l'entière réconciliation avec eux-mêmes. Elsa abandonne son travail une fois son fils parti; Jules tient à chanter ses propres chansons, mais se tient de moins en moins au fait des goûts du public, de sorte qu'il chante dans des endroits de plus en plus lamentables. Avant de mourir d'un cancer de la gorge, Jules aura transmis à sa fille Pique une grande partie de son héritage par ses chansons. La fin de *The Diviners* est foncièrement plus optimiste que *la Rivière sans repos* quant à la survie d'une culture proprement indigène. Elsa finit par sombrer dans une apathie abjecte; la transmission des valeurs culturelles esquimaudes sera interrompue en raison de l'américanisation de Jimmy. Après la mort de Jules, Pique se rend chez son oncle Jacques au Manitoba; celui-ci a établi une sorte de refuge pour les enfants indiens dont les parents sont morts ou disparus. Lentement, mais sûrement, les Métis se reprennent en main.

Les immigrants et les étrangers occupent une place de choix dans l'oeuvre de Gabrielle Roy et de Margaret Laurence. La carrière journalistique de l'une et le séjour en Afrique de l'autre semblent avoir suscité chez les deux romancières un intérêt particulier pour les êtres déshérités ou dépossédés; leur propre dépaysement les a rendues plus sensibles au dépaysement d'autrui. Les personnages s'intègrent bien à l'ensemble des personnages déjà étudiés, tant par leur préoccupations et soucis que par leurs faiblesses, leurs espoirs et leurs déceptions. La marginalité d'Elsa est peut-être plus lourde de conséquences que celle des autres femmes et mères, car Elsa fait partie d'un peuple marginalisé en voie de disparition, au sein duquel elle se marginalise davantage en renonçant à ce qui reste de l'ancien mode de vie. Elsa, comme Gabrielle Roy, veut croire par moments au "cercle enfin uni des hommes[47]" mais sa foi s'affronte à une réalité autre. Sa vie triste et mélancolique a pourtant ceci d'exemplaire: son entier dévouement maternel, qui demeure inébranlable contre vents et marées, contre toutes les déceptions et l'inexorable usure physique et psychologique qu'il entraîne.

Margaret Laurence a tracé un tableau assez sombre de l'affrontement entre la culture européenne et diverses cultures africaines, et du désarroi qu'a pu provoquer cet affrontement chez les Africains. Certains, tout comme Elsa ou les Tonnerre, se voient condamnés à vivre une sorte de point-milieu entre le passé, qu'ils rejettent plus ou moins sans l'abandonner complètement, et un avenir équivoque, voire inconnu. Ces êtres, Nathaniel Amegbe, Ruth Quansah, Adamo, entre autres, sont profondément partagés, et leur dilemme est souvent exacerbé par l'incompréhension des Blancs, qui les méprisent pour ce qu'ils sont et pour ce qu'ils essaient de devenir. Étant donné son attitude envers les peuples colonisateurs, et après avoir constaté les méfaits de la colonisation en Afrique, il n'est nullement surprenant que Margaret Laurence choisisse le Métis comme symbole de l'être divisé dans ses romans canadiens. La présence des Tonnerre dans le cycle de Manawaka est plus diffuse que celle des Esquimaux, qui dominent en réalité le récit dans *la Rivière sans repos*, mais leur apparition, même épisodique, revêt un caractère symbolique et nous rappelle leur extrême marginalité au sein de la société blanche. Margaret Laurence reproche aux Blancs leur incompréhension et leur mépris des autochtones. Ayant enlevé aux Indiens presque tout vestige de leur culture, tout en folklorisant parfois ce qu'il en reste (dans "*The Loons*", le gouvernement change le nom du lac Diamond au lac Wapakata, "*for it was felt that an Indian name would have a greater appeal to tourists*[48]"), ils ont souvent, par la suite, nié leur dignité humaine. Toutefois, le tableau que brosse Margaret Laurence à travers les cinq oeuvres du cycle de Manawaka n'est pas complètement dénué d'une lueur d'espoir quant à l'avenir des Métis.

---

1 Gabrielle Roy, *la Rivière sans repos* (Montréal: Éditions internationales Alain Stanké, 1979), p. 261.

2 Margaret Laurence, *The Diviners* (Toronto: McClelland & Stewart, NCL no. 146, 1978), p. 264.

3 Gabrielle Roy, *Bonheur d'occasion*, (Montréal: Éditions internationales Alain Stanké, 1978), p. 56.

4 *Ibid.*, p. 330.

5 Gabrielle Roy, *la Petite Poule d'Eau* (Montréal: Éditions internationales Alain Stanké, 1980), p. 91.

6 *Ibid.*, p. 169.

7 *Ibid.*, p. 225.

8 Gabrielle Roy, *Alexandre Chenevert* (Montréal: Éditions internationales Alain Stanké, 1979), p. 19.

9 *Ibid.*

10 *Ibid.*, pp. 19-20.

11 *Ibid.*, p. 20.

12 *Ibid.*, p. 21.

13 W.H. New, "*Fiction*", *Literary History of Canada*, 3:248.

14 Voir Gilles Dorion, "La littérature québécoise contemporaine: 1960-1977", *Études françaises*, 13 (3-4), 313-14. Dans cet article consacré au roman, Dorion propose un classement sommaire de la production récente de Thériault.

15 André Renaud et Réjean Robidoux, *Le Roman canadien-français au vingtième siècle* (Ottawa: Éditions de l'Université d'Ottawa, 1966), p. 93.

16 Compagnie canadienne de l'Exposition universelle, Montréal et Toronto. Version abrégée du texte original.

17 *RSR*, p. 185.

18 Northrop Frye, *The Modern Century* (Toronto: Oxford University Press, (1967), p. 23. *Alienation and progress are two central elements in the mythology of our day...*

19 *Ibid.*, p. 40. *Technology cannot of itself bring about an increase in human freedom, for technological developments threaten the structure of society, and society develops a proportionate number of restrictions to contain them.*

20 *RSR*, p. 39.

21 *Ibid.*, p. 49.

22 *Ibid.*, p. 94.

23 *Ibid.*, p. 104.

24 *Ibid.*, p. 111.

25 *Ibid.*, p. 123.

26 *Ibid.*, p. 155.

27 *Ibid.*, p. 162.

28 *Ibid.*, pp. 304-5.

29 *Ibid.*, p. 191.

30 *Ibid.*, p. 187.

31 *Ibid.*, p. 188.

32 *Ibid.*

33 *Ibid.*, p. 168.

34 *Ibid.*, p. 163.

35 *Ibid.*, p. 171.

36 *Ibid.*, p. 253.

37 *Ibid.*, p. 292.

38 Henry Kreisel, "*The Prairie: A State of Mind*", *Contexts of Canadian Criticism*, Ed. Eli Mandel (Chicago: University of Chicago Press, 1971), p. 261.
The conquest of territory is by definition a violent process. In the Canadian west, as elsewhere on this continent, it involved the displacement of the indigenous population by often scandalous means, and then the taming of the land itself. The displacement, the conquest of the Indians, and later the rising of the Métis under Louis Riel, are events significantly absent from the literature I am discussing. Occasionally Riel breaks into the consciousness of one or another of the characters, usually an old man or an old woman remembering troubled times; occasionally the figure of an Indian appears briefly, but is soon gone.

39 Margaret Laurence, *The Stone Angel* (Toronto: McClelland & Stewart-Bantam, 1978), p. 112.
Ils étaient Métis, les fils de Jules, qui avait été autrefois l'ami de Matt; je ne leur faisais pas confiance pour deux sous. Tel un essaim, ils habitaient une baraque quelques part — John soutenait toujours que leur demeure était passablement propre, mais j'avais de graves doutes à ce sujet. C'étaient de grands garçons aux accents bizarres, aux rires impitoyables.

40 Margaret Laurence, "*The Loons*", *A Bird in the House* (Toronto: McClelland & Stewart-Bantam, 1978), p. 96.
En bas de Manawaka à l'endroit où la Wachakwa, brune et bruyante, coulait sur son lit de cailloux, se trouvait un hallier où abondaient des arbustes de chêne rabougris, des saules vert cendré et des merisiers. Dans une éclaircie au milieu du hallier se trouvait la baraque des Tonnerre. La partie principale du logement consistait en une petite cabane carrée construite de billots de peuplier rendus étanches avec de la boue, bâtie par Jules Tonnerre cinquante ans plus tôt lorsqu'il était revenu de Batoche, une balle dans la cuisse, l'année où Riel a été pendu et que les voix des Métis sont entrées dans leur long silence. Jules avait l'intention de passer l'hiver seulement dans la vallée de la Wachakwa, mais la famille se trouvait toujours là pendant les années trente, lorsque j'étais jeune. Au fur et à mesure que les Tonnerre se multipliaient leur maison grandissait en conséquence; dans un chaos indesriptible, l'éclaircie était envahie d'appentis, de caisses en bois, de bois de charpente déjeté, de vieux pneux, de poulaillers délabrés, de brins de fil de fer barbelé emmêlés, et de boîtes de conserve rouillées.
Étant Métis, les Tonnerre parlaient, entre eux, un patois qui n'était ni cris ni français. Leur anglais était mauvais et farci d'obscénités. Ils n'étaient pas chez eux parmi les Cris de la réserve de Galloping Mountain, plus au nord, ni parmi les Écossais, Irlandais et Ukrainiens de Manawaka non plus. Ils n'étaient ni chair ni poisson, comme aurait dit ma grand-mère MacLeod. Lorsque les hommes ne bricolaient pas ou ne travaillaient pas pour les chemins de fer du Canadien-Pacifique, ils vivaient du bien-être.

41 *BH*, p. 103. ...un reproche et un mystère.

42 Margaret Laurence, *The Fire-Dwellers* (Toronto: McClelland & Stewart-Bantam, 1978), p. 236.
[Ils vivaient] dans un royaume en ruines, et n'étaient nulle part à leur place. Et Jules engendra Lazarus, et Lazarus engendra une multitude À l'école, ils étaient seulement *ces Tonnerre*. Ce n'est que beaucoup plus tard que Stacey a saisi la véritable signification de leur nom.

43 Margaret Laurence, *The Diviners* (Toronto: McClelland & Stewart, NCL no. 146, 1978), p. 67.
Il y a aussi une des filles Tonnerre, une Métisse qui habite dans la vallée, qui est encore moins bien habillée. Elle est souvent absente à cause de sa jambe tuberculeuse, mais lorsqu'elle est là, c'est elle qui a l'air le plus moche parce que ses robes sont longues, mal coupées et sales, et elle boite.

44 *Ibid.*, p. 68. Il est méchant. Il connaît énormément de jurons et ne craint pas s'en servir pour ridiculiser ou humilier les filles.

45 *Ibid.*, p. 69. On appelle les Tonnerre (qui sont très nombreux) les sauvages, en voulant dire métis. Ils sont depuis longtemps mi-Indiens, mi-Français. Ils sont mystérieux. Les gens à Manawaka parlent d'eux mais ne leur parlent pas. Lazarus fabrique de l'alcool de contrebande dans sa baraque dans la vallée de la Wachakwa et se fait souvent arrêter le samedi soir. Morag en a entendu parler. Les Tonnerre sont sales et il ne faut pas en parler.

46 *Ibid.*, p. 140. Sur un des murs est un calendrier vieux de deux ans...et Jésus au Coeur Sanglant, la poitrine ouverte pour exhiber un coeur en forme de Valentin, percé d'une épine pointue et saignant à petites gouttes bien nettes.

47 Gabrielle Roy, "Mon héritage du Manitoba", *FLT*, p. 158.

48 *BH*, p. 107. ...car on croyait qu'un nom indien attirerait plus de touristes.

CHAPITRE VIII

LES SOUVENIRS D'ENFANCE: MICROCOSME DE L'UNIVERS ROMANESQUE

> *The creative writer perceives his world once and for all in childhood and adolescence, and his whole career is an effort to illustrate his private world in terms of the great public world we all share.*
>
> Graham Greene — *Collected Essays*[1]

> Est-il seulement possible de mettre dans un livre le pouvoir enchanteur de l'enfance qui est de faire tenir le monde dans la plus petite parcelle de bonheur? Les images les plus sincères de mes pages les plus vraies me viennent toutes, j'imagine, de ce temps-là.
>
> Gabrielle Roy[2]

Les souvenirs d'enfance constituent en quelque sorte un microcosme de l'univers romanesque de Gabrielle Roy et de Margaret Laurence. André Brochu, dans une étude consacrée à *Bonheur d'occasion* parle à juste titre du caractère "originel, primordial et déterminant[3]" de l'enfance dans laquelle tout prend forme et tout se résume. Northrop Frye abonde dans le même sens lorsqu'il précise:

> Au fond de toute mythologie sociale nous trouvons ce qu'il convient d'appeler...un mythe pastoral, la vision d'un idéal social. Sous sa forme la plus courante le mythe pastoral s'associe à l'enfance.... La nostalgie d'un monde paisible et rassurant dans lequel on agit spontanément devant la nature environnante...est particulièrement manifeste au Canada.... Nous constatons son influence chez les écrivains les plus sérieux: que

> l'on songe à Gabrielle Roy, dont la *Petite Poule d'Eau* suit *Bonheur d'occasion*[4].

Comment expliquer la nature parfois envahissante de l'enfance surtout lorsqu'on l'examine à l'âge adulte? Selon Eli Mandel, nous avons tendance à associer étroitement l'enfance et l'innocence:

> Il est évident que selon le point de vue de l'adulte, la vision de l'enfant en est une d'innocence, du paradis perdu. Autrement dit, la vision de l'enfant repose sur une notion des origines; c'est assurément ce que nous entendons par une région natale, la nostalgie envahissante que nous associons au *premier* lieu, à la *première* vision des choses, à la *première* compréhension des choses[5].

Même lorsque nous sommes exilés, "le pays de notre enfance subsiste, ne serait-ce que dans notre esprit...; son image, que nous portons de ville en ville, nous est indispensable[6]".

Presque tous les personnages de Roy et de Laurence sont portés à la nostalgie de l'enfance, nostalgie qui est parfois étroitement liée à la nature. Que l'on pense aux rêveries de Rose-Anna Lacasse où figurent souvent des images rayonnantes de sa jeunesse, ou bien à celles de Stacey MacAindra qui se perd dans une nature éloignée et pour ainsi dire utopique. Ce retour à la nature, à des valeurs anciennes et simples révèle plus d'une fois la soif inassouvissable du bonheur des personnages dans l'oeuvre romanesque de Roy et de Laurence. Rappelons la vision paradisiaque d'Alexandre Chenevert qui se concrétise dans une certaine mesure au lac Vert, mais qui ne lui procure pas tout à fait le bonheur escompté. Même Florentine Lacasse se souvient d'une enfance heureuse. La nostalgie d'un passé infiniment plus heureux que le présent qu'ils assument difficilement semble marquer également les personnages esquimaux et indiens dont nous avons déjà parlé.

Les enfants sont relativement nombreux dans l'oeuvre romanesque de Gabrielle Roy: ils abondent dans *Bonheur d'occasion* et *la Petite Poule d'Eau* surtout, et sont tellement nombreux que la romancière ne s'attarde que rarement à l'élaboration de leur personnalité propre. Bien qu'ils incarnent souvent les espoirs et les déceptions de leurs parents, ils ne jouissent pas de beaucoup d'autonomie. Nous connaissons Florentine Lacasse surtout à l'âge adulte; Jimmy Kumachuk s'efface assez vite du récit et c'est essentiellement à travers Elsa que nous suivons son cheminement.

Chez Margaret Laurence nous trouvons quelques portraits plutôt sommaires d'enfants: ceux de Stacey MacAindra dans *The Fire-Dwellers* figurent toujours parmi les préoccupations les plus pressantes de leur mère, mais demeurent assez flous dans notre esprit. Rachel Cameron est continuellement entourée d'enfants à l'école, mais à une ou deux exceptions près, nous retenons beaucoup moins de choses d'eux que des enfants combien attachants de *Ces enfants de ma vie* où l'institutrice semble s'effacer justement en faveur de ses petits. Dans l'ensemble de l'oeuvre romanesque de Margaret Laurence, le portrait le plus élaboré, le plus nuancé d'un personnage d'enfant, est sans doute celui de Morag Gunn dans la première partie de *The Diviners.*

Or, il est très frappant de constater que Gabrielle Roy et Margaret Laurence ont toutes deux revu et remanié, pour ainsi dire, leurs propres souvenirs d'enfance afin de les présenter sous forme d'oeuvres de fiction. Il existe de nombreux parallèles entre l'univers de Christine (*Rue Deschambault* et *la Route d'Altamont*) et celui de Vanessa MacLeod (*A Bird in the House*): leur cheminement, de l'innocence associée à l'enfance vers l'expérience de plus en plus élargie du monde qui les entoure, est marqué de plusieurs éléments semblables. Christine et Vanessa aspirent toutes deux à la vocation d'écrivain; toutes deux envisagent l'écriture comme "un moyen d'élargir la famille...d'instaurer entre les hommes...une communication toujours plus vaste, une réconciliation de plus en plus étendue[7]".

Rue Deschambault, la Route d'Altamont, sans oublier *Ces enfants de ma vie*, ainsi que *A Bird in the House* contiennent un grand nombre d'indices sur la conception que se font Roy et Laurence des personnages qui peuplent leurs romans. En examinant attentivement l'univers de Christine et de Vanessa, nous nous rendons compte que les images les plus saisissantes de la mère, de la condition féminine en général, les modèles qui semblent donner forme aux personnages masculins également, surgissent de ces oeuvres de mémoire et d'imagination. En effet, nous trouverons ailleurs des répliques d'à peu près tous les personnages qui entourent Christine et Vanessa dans un monde qui est déjà à mi-chemin entre la réalité et la fiction.

Même les titres des oeuvres qui renferment les souvenirs d'enfance sont très évocateurs: la rue Deschambault, celle de l'enfance et de la jeunesse de Gabrielle Roy, est une rue tranquille et riche en souvenirs; les collines sur lesquelles aboutit la route d'Altamont suscitent chez Christine et sa mère, Éveline, "leur rêve le plus secret. Ces collines renvoient la mère à ses paysages d'enfance; pour la fille, elles sont la promesse de l'inconnu.... Cette coïncidence, dans le même symbole, de ce qui fut et de ce qui est promis, Gabrielle Roy l'aperçoit également dans la création littéraire[8]".

Dans *A Bird in the House*, la maison du grand-père de Vanessa est un symbole puissant, étant à la fois monument aux yeux de Timothy Connor et prison dans l'optique de sa femme, de sa fille, Edna, et de sa petite-fille, Vanessa. Le recueil commence et se termine par des descriptions de ce bastion sombre:

> *That house in Manawaka is the one which, more than any other, I carry with me. Known to the rest of the town as "the old Connor place" and to the family as the Brick House, it was plain as the winter turnips in its root cellar, sparsely windowed as some crusader's embattled fortress in a heathen wilderness, its rooms in a perpetual gloom except in the brief height of summer. Many other brick structures had existed in Manawaka for as much as half a century, but at the time when my grandfather built this house, part dwelling place and part massive monument, it had been the first of its kind*[9].

C'est surtout à l'intérieur de cette maison qu'évolueront les êtres qui marqueront Vanessa et dont on trouvera l'écho dans les romans de Margaret Laurence.

Gabrielle Roy et Margaret Laurence racontent des histoires dont le caractère est en partie autobiographique, à partir du point de vue d'adultes qui s'appelaient autrefois Christine ou Vanessa. La narratrice adulte nous apprend ce que l'enfant a éprouvé mais n'a pas toujours compris; Christine et Vanessa voient des choses, mais Roy et Laurence en dégagent la signification[10]. La dernière partie de l'oeuvre de Gabrielle Roy, comme celle de Margaret Laurence d'ailleurs, est "vouée à l'exploration, à la re-création de ce qui fut au commencement, de ce grand rêve de rencontre assumé dans tous les prolongements que lui donne la maturité[11]". Gabrielle Roy, en écrivant *Rue Deschambault* et *la Route d'Altamont*, paraît motivée par la recherche du temps perdu, le recueillement et la quête de soi[12]. Pour Margaret Laurence, il s'agit au moins en partie, en écrivant les nouvelles que comprend *A Bird in the House*, d'exorciser certains démons de son passé, dont le souvenir de son grand-père Simpson, qui a suscité tant de ressentiment chez elle[13].

Les divers épisodes relatés dans les trois oeuvres que nous venons de mentionner sont présentés séparément et non simultanément; certaines histoires examinent à nouveau telle ou telle période dans la vie de Christine ou de Vanessa, mais le point de vue a changé et les événements dont il est question ne sont plus les mêmes. Les quatre récits de *la Route d'Altamont* couvrent à peu près les mêmes années de la vie de Christine que ceux de *Rue Deschambault*. Elle a six ans lorsqu'elle va chez sa grand-mère "toute-puissante", huit ans quand elle se rend au lac Winnipeg avec Monsieur Saint-Hilaire, et est adulte lorsqu'elle recherche la route d'Altamont avec sa mère. Toutefois, son attention est davantage portée sur quelques êtres proches, sa mère, sa grand-mère, quelques voisins, que dans *Rue Deschambault* où nous prenons connaissance de presque toute la famille et de tous les gens des alentours.

Les huit nouvelles de *A Bird in the House* couvrent une période d'une durée analogue dans la vie de Vanessa MacLeod. Selon l'ordre de présentation des récits, elle a dix ans dans "*The Sound of the Singing*" et "*To Set Our House in Order*"; dix ans et demi dans "*The Mask of the Bear*"; douze ans dans "*A Bird in the House*"; onze, quinze et dix-huit ans successivement dans "*The Loons*". Divers incidents dans "*Horses in the Night*" lui arrivent principalement lorsqu'elle a six, neuf, onze, treize et dix-huit ans; elle est âgée de quinze ans dans "*The Half-Husky*" et de douze ans et demi dans le dernier récit, "*Jericho's Brick Battlements*".

Ainsi, la durée examinée dans *Rue Deschambault, la Route d'Altamont* et *A Bird in the House* est relativement condensée. Dans la narration de leurs vies, de leurs joies et déceptions, des conflits qui marquent leurs familles, Christine et Vanessa font dévier petit à petit le centre d'intérêt de leurs proches vers elles-mêmes. À travers leurs propres expériences, sentiments et émotions, elle parviennent à mieux comprendre ceux et celles qui les entourent. Prenons comme exemples "Petite Misère", où l'atroce chagrin "mystérieux et inconnu[14]" de Christine lui permet en fin de compte de saisir les frustrations et la solitude de son père, dont le visage révèle une douleur qu'elle imagine immortelle; ou bien, le voyage pour empêcher le mariage de Georgianna qui suscite chez Éveline des souvenirs de projets auxquels elle n'a jamais pu donner suite. Dans "*Horses of the Night*", c'est seulement une fois adulte que Vanessa comprend le profond désenchantement de son cousin Chris qui, au fur et à mesure que son univers rétrécit, sombre de plus en plus dans la démence.

Trois générations sont représentés dans chacune des trois oeuvres: Christine et Vanessa observent attentivement leurs mères et leurs grands-mères. À quelques exceptions près, il est rarement question des rapports entre les membres de la même génération, sauf dans "Un bout de ruban jaune", "Alicia", "Wilhelm" et "*Horses of the Night*". Nous avons déjà remarqué cette particularité dans l'oeuvre romanesque de Roy et de Laurence ainsi que dans le roman québécois et canadien en général.

Ce sont les êtres qui entourent Christine et Vanessa, êtres sortis à la fois des souvenirs et de l'imagination de Roy et de Laurence, qui nous intéressent dans l'optique de notre étude des personnages purement fictifs dont nous avons parlé jusqu'à présent, car ces derniers sont souvent inspirés des premiers. Chez Gabrielle Roy/Christine, il s'agit surtout de la mère et du père (les portraits d'Éveline et d'Édouard, qui s'inspirent dans une certaine mesure des parents de la romancière, sont particulièrement révélateurs) ainsi que sa conception de la condition féminine, dont les grandes lignes sont certainement arrêtées pendant son enfance. Chez Margaret Laurence/Vanessa, ce sont surtout son grand-père maternel, Timothy Connor, et sa grand-mère paternelle, Eleanor MacLeod, qui l'ont le plus fortement marquée.

En reconstituant son enfance par l'entremise de Christine, Gabrielle Roy s'attache à certains souvenirs qui semblent l'avoir marquée très fortement et qui revêtent à ses yeux un caractère singulier ou frappant, comme en fait foi sa façon de les présenter:

> — Après, *presque toute ma vie*, je n'ai pu entendre un être humain dire: "J'aime..." sans avoir le coeur noué de crainte et vouloir de mes deux bras entourer, protéger cet être si exposé...[15].
> — Je n'ai *jamais* vu maison plus triste que la nôtre, quand nous y rentrâmes, maman et moi[16].
> — Il faut bien que je raconte aussi l'histoire d'Alicia; sans doute est-ce *celle qui a le plus fortement marqué ma vie...*[17].
> — D'où vient que le désespoir aussitôt après la joie s'est jeté sur elle? Je n'avais *jamais* vu auparavant le désespoir, et pourtant, je l'ai reconnu[18].
> — Je n'avais *jamais* entendu papa s'exprimer sur ce ton presque taquin, plaisant[19].
> — Je fus heureuse un instant comme *rarement* je l'ai été dans ma vie[20].

La commisération et la sollicitude de Gabrielle Roy/Christine s'expliquent sans doute en partie par la compassion dont fait preuve Éveline, ainsi que d'autres personnages dans son entourage, qui se servent souvent du qualificatif *pauvre*:

— ...chacune...avait toujours sa petite tâche devant elle, et quand la tâche était finie, les pauvresses s'en cherchaient une autre[21].
— Pauvre Samuel[22]!
— Ton père! disait maman. Ton pauvre père[23]!
— Pauvre Thérésina, qui donc la prendrait avec son asthme[24]!
— La pauvre femme devient pas mal disputeuse[25].
— Toute femme, disait maman, a dans le fond d'elle-même une pauvre petite âme païenne...[26].
— Écrire, me dit-elle, est-ce que ce n'est pas en définitive être loin des autres...être toute seule, pauvre enfant[27]!
— Va dormir, pauvre maman[28]!
— Et peut-être par ce pauvre petit geste me demandait-elle de rester son alliée[29].
— Pauvre chère vieille[30]!
— Or le pauvre monde sur terre s'en trouvait bien[36].
— À quoi lui servira tout ce travail, pauvre vieille[32]?
— Ma pauvre mère[33]!
— Ta pauvre, pauvre mère[34]!
— Cette pauvre femme à l'air exténué...[35].
— Mais cette pauvre créature lasse et couverte de poussière...[36].
— Pauvre de toi, disait-elle. Qu'adviendra-t-il de toi, pauvre de toi, pauvre de toi[37]!
— Mais je ne voulais pas lui ressembler, pauvre vieille pourtant admirable...[38].
— Ah, voilà donc, pauvre vie terminée, ce qu'elle a ressenti; ce qu'elle a souffert[39].
— Cette pauvre femme, me dit-elle de madame Pasquier, faut croire qu'elle est bien à plaindre...[40].

Il est à noter que ce terme s'applique la plupart du temps soit à Éveline ou à sa propre mère, soit à Christine; il semble désigner une sorte de solidarité féminine dont nous trouvons souvent l'écho chez les personnages de mère de famille[41]. Les malheurs inhérents à la condition féminine et la prise de conscience des filles devant le sort parfois pitoyable de leurs mères marquent de façon déterminante plus d'un personnage dans l'univers romanesque de Gabrielle Roy.

Le portrait d'Éveline tracé par la romancière dans *Rue Deschambault* et *la Route d'Altamont* (et à un moindre degré, celui de la mère dans *Ces enfants de ma vie*, qui est en quelque sorte le prolongement du portrait d'Éveline, mère à la fois réelle et fictive) est certes le plus élaboré et le plus nuancé qu'il nous est donné d'étudier dans l'oeuvre de Gabrielle

Roy. De toutes les consciences de mères, c'est celle qui est la plus explicitement élucidée; les liens qui l'unissent à Christine sont les plus profonds de tous ceux qui existent entre mères et filles.

Véritable *mater familias* et qui rappelle à bien des égards la *mater dolorosa* qu'est Rose-Anna Lacasse, elle ressemble par certains côtés à toutes les mères que nous connaissons dans l'univers romanesque de Gabrielle Roy. "Créature du jour[42], de la lumière, elle est débordante d'affection et de joie simple. Comme toutes les mères dans l'oeuvre de Roy, c'est elle avant tout qui est appelée à faire des sacrifices: elle oublie souvent ses propres droits en faveur des droits des siens. Tout en assumant pleinement son rôle maternel, comme Rose-Anna Lacasse, Luzina Tousignant et Elsa Kumachuk, elle accepte de s'affairer sans cesse à élever ses enfants, à s'occuper d'une suite apparemment sans fin de besognes domestiques. Elle ne renonce jamais à sa quête de la liberté, à son désir de connaître l'aventure, l'inconnu. Comme les autres mères dont nous avons parlé, elle est parfois accablée par les soucis, souvent livrée à "une activité débordante[43]". Ses soucis et ses tâches deviennent autant de chaînes qui l'empêchent de se réaliser. Mariée jeune à un homme plus âgé qu'elle, elle commence seulement par la suite à découvrir ses bonnes qualités, comme Rose-Anna Lacasse et Eugénie Chenevert.

Chez Christine on a toujours eu "une grande gêne à montrer les larmes[44]"; une gêne semblable caractérise les proches de Vanessa. Encore jeune, Christine surprend parfois sa mère, "[les] paupières rougies: puis dans ces beaux yeux bruns de maman et bien qu'ils fussent gonflés, je regardais monter le soleil d'un bonheur, mais si difficile à atteindre, si inconnu, que j'en avais peur[45]". Elle avoue à Christine, lorsque celle-ci est adulte: "Jeune...j'ai ardemment désiré étudier, apprendre, voyager, me hausser du mieux possible.... Je n'ai pas eu beaucoup de temps pour moi-même. Quelquefois encore je rêve à quelqu'un d'infiniment mieux que moi que j'aurais pu être...[46]". Elle fait part à sa fille d'un grand espoir, qu'elle partage avec Rose-Anna et Luzina: "...je te regarde et me dis que rien n'est perdu, que tu feras à ma place et mieux que moi ce que j'aurais désiré accomplir[47]". Tandis que d'autres mères, Rose-Anna, Luzina, Elsa, se plongent la plupart du temps dans les rêveries qui atténuent d'une certaine manière leur déception, mais qui aboutissent la plupart du temps à un sentiment plus aigu d'insatisfaction ou de frustration, Éveline réalise au moins en partie l'un de ses rêves les plus chers, en entreprenant presque clandestinement il est vrai un voyage au Québec où elle renoue de nombreux liens avec ses parents lointains. "Sans le passé, que sommes-nous[48]"? demande-t-elle à Édouard, lors de son retour. Sa soif de liberté et les entraves qui l'empêchent de réaliser ses rêves trouvent dans les mouettes qui apparaissent à plusieurs reprises dans "Les déserteuses" un symbole puissant: les mouettes sont aussi présentes dans les rêves de Christine et d'Éveline lorsque le père est absent. Une fois rentrée de son exploration du passé, Éveline raconte en détail son voyage, et les souvenirs, sur son visage, sont "comme des oiseaux en plein vol[49]".

Femme de nature affectueuse et liante, Éveline ressent durement l'absence de son mari et son caractère renfermé quand il est à la maison. Devant l'affection démonstrative des Italiens, elle s'exclame: "La plus belle couronne d'une femme c'est d'être aimée[50]".

Encore jeune, Christine avoue à Monsieur Saint-Hilaire qu'elle sera passionnée toute sa vie. Plus tard, elle deviendra institutrice, au moins en partie pour répondre au voeu de sa mère. Or, l'institutrice de *Ces enfants de ma vie* qui, malgré qu'elle n'ait pas de nom, est certes la soeur spirituelle de Christine, ressent, elle aussi, cette passion. Cette passion, qui est en réalité l'amour, se manifeste par le désir "de lutter pour obtenir le meilleur en chacun[51]". De sa tâche d'enseignement elle dit: "Elle est toute ma vie. Toute ma passion. Elle me suffit complètement[52]". Tout au long de sa carrière cette passion se montre "exigeante et dominatrice[53]".

L'institutrice de *Ces enfants de ma vie*, dont la propre mère ne figure que de façon épisodique, devient une sorte de mère idéale aux yeux de ses élèves, et c'est par rapport à elle que doivent se mesurer leurs propres mères. Elle voit dans ses élèves une sorte d'idéal du bonheur et de l'innocence; les liens souvent très maternels qui l'unissent à eux, qu'elle tient auprès d'elle comme s'ils étaient ses propres enfants, sont en quelque sorte l'extension des liens qui existent entre les enfants et leurs propres mères. C'est surtout à travers le regard attentif et compatissant de l'institutrice que nous connaissons les mères de ses élèves, et ces mères demeurent toujours en marge du récit. Les soucis et préoccupations de la mère sont souvent portés par l'enfant; en cela, ces enfants et ces mères ressemblent à beaucoup d'autres dans l'oeuvre de Gabrielle Roy.

Grâce à des portraits souvent rapides mais toujours incisifs, on se rend compte que le sort des mères de famille qui entourent l'institutrice n'a rien d'enviable. Quelques-unes sont seules à élever leurs enfants, comme Paraskovia Galaïda, la mère de Nil, ou comme la mère de Clair qui gagne sa vie en faisant çà et là des ménages et qui a peur "de ne pas bien faire[54]" en élevant son fils. Elles sont pour la plupart pauvres et démunies, même lorsque leurs maris cherchent tant bien que mal à subvenir aux besoins matériels de la famille. La famille de Nikolaï vit à la lisière du dépotoir municipal; la mère de Nil habite dans "une zone de déshérités[55]". Madame Demetrioff est une femme "impassible[56]", "toujours placide[57]" et "n'a jamais un sou en poche[58]". Lorsque l'institutrice la surprend au seuil de sa maison, elle la trouve "pareille à celles que l'on voit sur la couverture des éditions populaires de romans russes[59]" — elle ressemble, pour tout dire, à une image.

Madame Pasquier est particulièrement marquée par le fardeau habituel de la maternité; d'ailleurs, on voit tout son accablement à travers son fils, André, qui est continuellement "tracassé par les soucis de la maison[60]". Les grossesses de madame Pasquier étant très douloureuses, elle doit garder le lit pour attendre encore un enfant qu'elle et son mari ne voulaient même pas au départ. De ses yeux "immenses, tristes et doux[61]" elle surveille tout dans la maison, se débrouillant à l'aide de ses deux garçons et en l'absence de son mari, parti aux chantiers (comme d'autres pères dans l'oeuvre de Gabrielle Roy il s'efface tôt dans le récit). À travers les rudes épreuves auxquelles elle doit faire face, elle manifeste une certaine résignation, un certain fatalisme: "Si j'ai des grossesses pénibles, par ailleurs j'accouche facilement. Vous savez, on ne peut avoir de son côté toutes les malchances[62]". L'institutrice est bouleversée par cette image de "la misère féminine[63]".

La femme de Rodrigue Eymard, évoquée très discrètement pourtant, rappelle Elsa Kumachuk. Elle vient d'une réserve indienne et malgré que son mari l'ait comblée sur le plan matériel, elle finit par préférer la tente à la maison prétentieuse des Eymard, et retourne à sa tribu. Tout ce qu'elle semble léguer à Rodrigue et à son fils, Médéric, c'est une profonde amertume chez celui-là et une certaine innocence primitive chez celui-ci.

Rappelons, enfin, le portrait peu flatteur de la voisine qu'emploie Rodrigue Eymard, "une femme en savates que le maître appelait d'un claquement de doigts et renvoyait aussi cavalièrement...[64]".

En dehors de la vie et des aspirations de sa propre mère, Christine est également très sensible à la condition féminine telle qu'elle l'aperçoit chez ses parents proches, qui la sensibilisent davantage à sa propre condition de femme. Très jeune, profondément vexée par le comportement de son père à son endroit, elle a déjà ressenti "assez de lâcheté pour [se] résigner à la vie telle qu'elle est[65]". Chez ses tantes, elle constate le lourd fardeau que les femmes sont condamnées à porter: le rôle de la femme est de servir, et ses tâches semblent se multiplier à l'infini. Devant

Monsieur Saint-Hilaire, Christine esquisse un geste de résignation qu'elle a pris "à une de [ses] tantes, laquelle était presque toujours désolée de tout[66]". D'une autre tante elle dit: "Ma tante et mes cousines étaient dans la maison à faire du ménage ou à se préparer de l'ouvrage; chacune, dans cette maison ennuyeuse, avait toujours sa petite tâche devant elle, et quand la tâche était finie, les pauvresses s'en cherchaient encore une autre[67]". Si les pères espèrent souvent un sort meilleur que le leur pour leurs fils, les filles semblent fatalement destinées à ressembler à leurs mères. Chez madame Nault, Christine observe les filles autour de leur mère, toutes habillées de noir, toutes assises, les mains croisées "de même façon sur leur jupe[68]". Ironiquement, Éveline, qui cherchait une certaine liberté à travers son voyage au Québec, trouve souvent sur son chemin toutes sortes de rappels de sa condition de femme.

L'une des rares fois que nous apercevons la condition féminine par les yeux d'un homme, c'est lorsque Édouard se plaint du sort des femmes dans la colonie de Dunrea: les hommes se font servir, les femmes servent. Malgré qu'elles aient l'air heureuses, Édouard rappelle aux siens, non sans ironie, que "le bonheur ne sert pas nécessairement la justice[69]".

La tante Thérésina Veilleux est l'image même de la patience et la résignation. Affligée d'asthme depuis son enfance, elle a dû renoncer à son éducation. Sa maladie ne semblait pas lui permettre d'espérer un brillant avenir, ni surtout un mariage convenable. Malgré la souffrance qu'entraînent ses grossesses successives, elle continue à mettre au monde des enfants. Malgré qu'elle soit de plus en plus démunie, elle marque "de la préférence pour les gens affligés[70]", ressemblant en cela à Rose-Anna et à Luzina. Elle ne cesse jamais d'espérer l'amélioration de son sort, qui est très étroitement lié aux rêves et aux projets de son mari, homme idéaliste et rêveur comme Azarius Lacasse. Thérésina Veilleux doit intérioriser sa déception grandissante au fur et à mesure que le projet de s'installer en Californie s'éloigne, sans cesse remis à plus tard. Une fois atteint le paradis terrestre, elle n'a même pas le temps d'en jouir; l'apaisement de ses souffrances s'étant fait trop longtemps attendre, elle meurt aussitôt après. Pour avoir tant désiré une vie autre, pour avoir tant souhaité la réalisation d'un grand rêve, elle meurt en proie à un profond chagrin.

Nous découvrons, grâce à Christine, ce qui pourrait bien être le portrait de Florentine Lacasse, dans la description d'une vendeuse dans un magasin à rayons de Winnipeg (à une époque de sa vie, d'ailleurs, où elle est très éprise des bijoux):

> Elle devait avoir le double de mon âge, peut-être même beaucoup plus, des paupières bleuies, de lourds cheveux noirs dans lesquels était piqué un peigne espagnol, des sourcils refaits, un visage insensible; et aussi, sur son visage, quelque chose de savant, d'invulnérable, comme si la vie ne pouvait plus lui faire du mal: quelque chose en tout cas qui me tenta fort, car j'ai désiré ressembler à cette femme comme je n'ai guère souhaité après ressembler à qui que ce soit[71].

Par la suite, toutefois, Christine est amenée à souhaiter "l'égalité sur terre[72]" lorsqu'elle entend parler sa mère et son frère à son sujet. Sa mère lance un véritable plaidoyer en faveur de l'égalité des sexes:

> — Toute femme, disait maman, a dans le fond d'elle-même une pauvre petite âme païenne, et il me semble que vous autres, les hommes, c'est bien souvent cette païenne que vous adorez.... Celle qui se joue de vous, celle qui se prépare à mille jeux durs et impitoyables, oui, c'est celle-là que vous encouragez. Au fond, il n'y a pas d'égalité entre les hommes et les femmes. Les belles vertus: la loyauté, la franchise, la droiture, l'admirable simplicité, vous les revendiquez pour vous, alors que vous prisez les femmes pour leurs détours, leurs caprices. C'est très mal, d'abord pour vous-mêmes qui êtes les premiers à en souffrir, et pour les femmes que vous vous plaisez, on dirait, à maintenir dans un état d'enfance rusée. Oh! quand donc, fit maman, les mêmes qualités seront-elles bonnes pour tous[73]!

Au cours d'une promenade inusitée qu'elle fait lors d'un déménagement, Christine découvre la misère humaine inscrite surtout sur le visage d'une femme dont la ressemblance avec Rose-Anna Lacasse est frappante:

> Cette pauvre femme à l'air exténué, les cheveux plaqués au visage, ces enfants malingres, le mari — un homme aussi peu aimable que monsieur Pichette — je découvrais là les gens voués à une existence dont je ne connaissais rien, effroyablement grise, et qui me paraissait pour ainsi dire sans issue[74].

Christine croit naïvement que le déménagement "va les conduire à présent vers quelque chose de mieux[75]"; toutefois, la nouvelle maison est plus lugubre que la précédente, "une petite maison esseulée, assez loin de ses voisines, une petite maison sans fondation, posée sur le sol[76]".

Comme Rose-Anna Lacasse, "cette pauvre créature lasse et couverte de poussière n'eut apparemment aucun regret de franchir son seuil, de quitter deux, trois ou quatre années peut-être de sa vie[77]".

Bien que le père de famille en tant que tel ne nous préoccupe pas dans le cadre de cette étude des personnages dans l'oeuvre romanesque de Gabrielle Roy et de Margaret Laurence, il serait tout de même pertinent de souligner le caractère d'Édouard, qui est tout à fait opposé à celui d'Éveline. En effet, Christine est "partagée entre ces deux côtés de [sa] nature qui [lui] venaient de [ses] parents divisés par le jour et la nuit[78]". Homme renfermé, taciturne, aigri et souvent absent de la maison, Édouard, comme Azarius et Alexandre, souffre énormément de ne jamais avoir réalisé ses projets. Christine attribue à son père sa prédisposition à souffrir; il demeure pour elle presqu'un étranger. Il est toujours à la recherche de ce qui peut rehausser la vie: la jeunesse, l'espoir, la santé, le repos, mais ces choses lui échappent toujours[79]. Lorsqu'il est à la maison, il cherche la stabilité; malgré qu'il soit appelé à voyager souvent à cause de son travail, il n'arrive pas à comprendre le désir de sa femme de voyager, elle aussi, et la traite de "trotteuse, de vagabonde, d'instable[80]". Il reproche à ses enfants, en dépit de son caractère difficile, d'être plus attachés à leur mère qu'à lui. Ajoutons que les enfants Lacasse, les petits Tousignant, Irène Chenevert et Jimmy Kumachuk sont tous plus attachés à leurs mères. C'est uniquement lorsqu'ils sont séparés que les parents de Christine semblent s'épanouir et se comporter selon leur caractère propre: "Comme c'est navrant! Car, si papa s'était comporté parmi nous comme parmi les étrangers, et maman avec lui comme en son absence, est-ce qu'ils n'auraient pas été parfaitement heureux ensemble?...[81]". Comme Édouard, Azarius Lacasse est taciturne et morose à la maison, absent, pour ainsi dire, même lorsqu'il est présent; hors de la maison, il est volubile et sociable. Nous ne savons que relativement peu de choses des pères dans l'oeuvre romanesque de Gabrielle Roy; leurs vies sont-elles toutes comme celle d'Édouard, "...étrange..., belle à certaines heures mais si pénible...fermée à notre curiosité[82]"? À la fin de sa vie, Édouard est triste et "absent tout le jour[83]"; il commence à revivre un peu à la tombée de la nuit. Comme son frère spirituel, Alexandre Chenevert, il se livre à ses propres pensées, souvent moroses, surtout pendant la nuit.

Il y a seulement deux autres portraits de père dans les oeuvres dont nous parlons; à part celui d'Édouard dans *Rue Deschambault*, nous trouvons celui du père Demetrioff (assez sommaire il est vrai) dans *Ces enfants de ma vie*: il s'agit d'une brute, d'un homme violent qui terrorise sa femme et ses enfants. Le portrait de Rodrigue Eymard est également peu reluisant: c'est un homme prétentieux, vaniteux, abruti, qui porte en lui "l'indicible souffrance de retrouver au bout d'une vie ratée le souvenir d'un rêve de jeunesse[84]". Comme d'autres parents que nous avons étudiés, il a la hantise "de voir [son fils] accomplir ce que lui-même n'avait pu réaliser[85]". C'est un homme grossier qui nourrit une attitude méprisante à l'endroit des femmes; selon lui, celles des alentours sont "ignorantes et abruties[86]".

Dans les oeuvres sur l'enfance nous trouvons de nombreux indices qui nous permettent de bien saisir la vision sociale de Gabrielle Roy en ce qui a trait aux étrangers et aux immigrants. Surtout dans *Rue Deschambault*, Christine se solidarise souvent avec les étrangers, tout en soulignant la méfiance de sa famille et des voisins à leur endroit. La famille de Christine, tout comme celle de Vanessa MacLeod avant et après la mort de son père, n'est pas très fortunée. Ainsi, Éveline est amenée à prendre un Noir comme pensionnaire afin de procurer un peu d'aisance à sa famille. Leurs voisins, les Guilbert, malgré certaines réticences, en font autant, tout en faisant preuve au préalable de la même méfiance que la famille de Christine. À la consternation des adultes, les enfants se lient très facilement d'amitié avec ces deux "étrangers". Précisons que Christine au début est inspirée surtout par son propre intérêt, car le pensionnaire lui donne des sous en échange de leçons de français. Dans "Les déserteuses", Mrs. O'Neill s'ennuie à mourir de son Irlande natale; à la maison, elle s'entoure de gravures et d'images qui lui rappellent les paysages de son enfance. La famille de Christine se méfie de Giuseppe Sariano lorsque celui-ci projette de construire une maison à côté de la leur; c'est seulement en se rendant compte qu'il n'allait leur faire aucun tort qu'ils se mettent "tous ensemble à aimer l'Italien[87]". Éveline, en parlant de Monsieur Saint-Hilaire, laisse entendre "que d'être Français expliquait quelque peu ses idées bien à lui, son comportement peut-être difficile à supporter...[88]".

Le portrait de Wilhelm est révélateur à plusieurs égards. Il est étranger, un immigrant déraciné et dépaysé qui loge chez des gens également déracinés (les O'Neill); qui plus est, il s'éprend de Christine et devient son premier cavalier. Bien que le père de Christine prêche la sympathie à l'endroit des étrangers ("qui ont bien assez à souffrir de leur dépaysement sans qu'on y ajoute par le mépris ou le dédain[89]"), lui et Éveline changent complètement de point de vue lorsque Christine manifeste son affection pour Wilhelm. Depuis que sa soeur Georgianna s'est mariée malgré les admonestations de ses parents, "personne [dans la famille] ne regardait l'amour d'un bon oeil[90]". Ainsi, cette histoire d'amour naissant entre deux jeunes, l'une des rares histoires de ce genre dans l'oeuvre de Gabrielle Roy, est vouée à l'échec. Il en va de même dans *Bonheur d'occasion*: que l'on songe à l'amour impossible que cherchent Jean Lévesque et Florentine Lacasse et à l'absence même de véritable amour entre Florentine et Emmanuel Létourneau. Rappelons aussi le mariage désastreux d'Irène Chenevert, et la liaison passagère et foncièrement tragique d'Elsa et du G.I. L'histoire de Christine et de Wilhelm évoque aussi l'histoire d'amour combien pénible et mélancolique qui naît entre Médéric et l'institutrice, bien que les rôles soient renversés. L'amour affectif ou physique est presque absent de l'oeuvre de Gabrielle Roy; chez les jeunes il s'agit la plupart du temps d'un échec. La douloureuse expérience de Christine y serait-elle pour quelque chose?

Christine doit au moins en partie son affection et sa solidarité vis-à-vis les immigrants à son père. Dans *Rue Deschambault*, Édouard dit: "'Mes gens, mes colons'. Et aussi: 'Mes immigrants', en accentuant le possessif, en sorte que ce mot: immigrant, plutôt que de signifier des étrangers, prenait une curieuse valeur de parenté[91]".

Notre analyse de l'enfance de Vanessa MacLeod et l'étude des personnages qui l'entourent (qui annoncent souvent d'autres personnages dans l'oeuvre romanesque de Margaret Laurence) seront forcément plus restreintes que notre étude de l'enfance de Christine, car celle de Vanessa se résume uniquement dans les huit nouvelles qui composent *A Bird in the House*. Comme nous l'avons indiqué plus haut, les personnages d'enfants sont rares dans l'oeuvre de Laurence; à part le portrait qu'elle donne de Morag Gunn (portrait "autobiographique" en quelque sorte, car c'est Morag qui assume la narration de sa vie), celui de Vanessa est le plus élaboré.

Vanessa guette constamment les conversations des adultes qui l'entourent et sa conception de son milieu repose autant sur ce qu'elle voit que sur ce qu'elle entend. Elle est très consciente de l'influence qu'ils exercent sur elle, et ses observations sont souvent d'une perspicacité désarmante. Comme Christine, elle n'arrive pas toujours à comprendre parfaitement la signification de ce qu'elle observe dans la vie de tous les jours.

Le portrait de Beth MacLeod, la mère de Vanessa, est assez sommaire. En effet, nous savons peu de choses d'elle; encore moins des liens affectifs qui l'unissent à sa fille. La mère de Christine est très présente dans la vie de sa fille et joue un rôle déterminant dans son épanouissement; au contraire, l'influence de Beth MacLeod sur Vanessa demeure très ambiguë. De toutes les morts qui surviennent dans la famille, c'est celle de sa mère qui demeurera le plus longtemps dans l'esprit de Vanessa, telle une blessure inguérissable[92].

L'enfance de Vanessa se déroule pendant la crise économique des années vingt et trente et sa mère, tout en assumant toutes ses responsabilités de mère de famille, doit aussi seconder son mari dans son cabinet de médecin. Les médecins souffrent comme tout le monde pendant la crise: les gens tombent malades plus que jamais mais se trouvent la plupart du temps dans l'impossibilité d'acquitter les honoraires du médecin. Femme forte et courageuse, Beth MacLeod court le risque de perdre l'enfant qu'elle attend (une fille est déjà morte à sa naissance) en travaillant jusqu'à l'épuisement. D'ailleurs, l'accouchement est très compliqué et douloureux. En raison de la pudeur de ses parents, Vanessa voit la maternité entourée de mystère; elle est très sensible à la souffrance de sa mère. Rappelons ici les maternités douloureuses de madame Pasquier et de Thérésina Veilleux — chez Gabrielle Roy, comme chez Margaret Laurence, il s'agit d'un élément capital de la "misère féminine". Dans l'oeuvre de Margaret Laurence la maternité est parfois conçue comme un martyre. C'est en ces termes que May Cameron envisage ses propres grossesses. En revanche, chez Rachel Cameron et Morag Gunn, la fécondité ne semble pas être une source d'accablement, mais plutôt d'épanouissement.

Comme Éveline, Beth MacLeod a connu pendant sa vie de nombreuses déceptions, qu'elle intériorise la plupart du temps. À la fin de ses études secondaires elle a obtenu les meilleurs résultats de toute la province du Manitoba, et aurait voulu s'inscrire à l'université. Son père, Timothy Connor, ne croyant pas à l'instruction des femmes, elle a dû y renoncer. Mais comme Éveline, Beth souhaite que sa fille puisse réaliser les projets qu'elle n'a jamais pu réaliser.

Les grands-mères maternelle et paternelle de Vanessa occupent une place de choix dans sa vie. Agnes Connor est une femme effacée, timide et discrète, complètement éclipsée par son mari. "*Ample and waistless*[93]", sa personnalité aussi difforme que sa physionomie, elle partage sa vie entre le tricot, en semaine, et la lecture de la Bible, le dimanche. Vanessa la voit souvent en train de regarder le canari dans sa cage. Comme l'oiseau, grand-mère Connor est emprisonnée, mais semble résignée à son sort:

> *When I asked my grandmother if the bird minded being there, she shook her head and said no, it had been there always and wouldn't*

> *know what to do with itself outside, for it was a family saying that she couldn't tell a lie if her life depended on it*[94].

Femme sereine et tranquille, Agnes Connor intériorise tous ses sentiments, et voit tout d'un même oeil bienveillant et indulgent. En raison de la personnalité très forte de son mari, il s'installe une sorte de complicité entre elle et ses filles et sa petite-fille, surtout, une volonté de la protéger:

> *It was tacitly understood among all members of the family that Grandmother was not to be upset. Only Grandfather was allowed to upset her. The rest of us coddled her gladly, assuming that she needed protection*[95].

En effet, ce qui l'importune le plus dans la vie, c'est d'être témoin d'une scène ou d'une querelle de famille.

Timothy Connor est un homme très peu démonstratif, exigeant et arbitraire; toutefois, il est profondément bouleversé par la mort de sa femme. Ses enfants sont abasourdis lorsqu'il la qualifie d'ange après sa mort, car il ne lui a guère manifesté d'affection pendant sa vie. Vanessa aussi est grandement touchée par cette mort et en souffre comme Christine à la mort d'Alicia: "*I still could not believe that anyone I cared about could really die*[96]".

Eleanor MacLeod, la grand-mère paternelle de Vanessa, est aussi une femme renfermée qui ne laisse que rarement paraître ses émotions. Les larmes semblent gêner les proches parents de Vanessa autant que ceux de Christine. Il n'est pas surprenant de constater la prépondérance des personnages féminins, qui intériorisent tout et supportent souvent la vie comme un véritable supplice, dans l'oeuvre de Margaret Laurence. Hagar Shipley, Rachel et madame Cameron, Stacey MacAindra et Prin Logan sont toutes des femmes plus ou moins malheureuses. On ne voit jamais pleurer Eleanor MacLeod, même pas le jour des funérailles de son fils, Ewen.

Née en Ontario, fille de vétérinaire, elle est très fière de ses origines écossaises; la devise de son clan ancestral est *Pleasure Arises from Work* (Le plaisir naît du travail); celle de son père est *God loves Order* (Dieu aime l'ordre). Elle est également fière de son rôle de femme et mère de médecins. Depuis la mort de son mari, la situation des MacLeod a bien changé, très largement affectée par la crise économique. Aussi Eleanor MacLeod se réfugie-t-elle de plus en plus dans le passé; sa nostalgie l'empêche de trop souffrir d'une réalité dont elle semble à peine tenir compte. C'est ainsi qu'elle raconte le passé à Vanessa:

> *Before we'd been in Manawaka three years, he'd had this place built. He earned a good deal of money in his time, your grandfather. He soon had more patients than either of the other doctors. We ordered our dinner service and all our silver from Birks' in Toronto. We had resident help in those days, of course, and never had less than twelve guests for dinner parties. When I had a tea, it would always be twenty or thirty. Never any less than half a dozen different kinds of cake were ever served in this house*[97].

Femme indomptable, comme Hagar Shipley, elle accepte difficilement la pauvreté relative des MacLeod après les années d'aisance, et la diminution conséquente de ce qu'elle aperçoit comme son rang social. Toutefois, ajoutons que c'est en connaissance de cause que Hagar Currie s'est mariée avec Bram Shipley, qui a toujours vécu au seuil de l'indigence. Femme courageuse, elle est fortement marquée par les déceptions que lui réserve la vie: "*she did not believe in the existence of fear, or if she did, she never let on*[98]". Ayant perdu son fils, Roderick, pendant la Première Guerre mondiale, elle projette sur l'aîné, Ewen, ses espoirs déçus — Ewen deviendra médecin pour combler le voeu que sa mère nourrissait à l'endroit de son frère.

Vanessa cherche à comprendre l'austérité et l'irritation habituelles de sa grand-mère; encore enfant, elle ne peut saisir la façon dont la déception ronge le coeur de celle-ci. Son père essaie d'expliquer son comportement lorsque Vanessa lui reproche son peu d'amabilité:

> *She's had troubles in her life which you really don't know much about. That's why she gets migraine sometimes and has to go to bed. It's not easy for her these days, either — the house is still the same, so she thinks other things should be, too. It hurts her when she finds they aren't*[100].

L'antipathie qui existe entre Eleanor MacLeod et Timothy Connor est presque légendaire; d'ailleurs, l'idée que celui-ci se fait d'Eleanor semble être partagée par Vanessa, pourtant rarement d'accord avec son grand-père:

> *He maintained, quite correctly, that she gave herself airs because her husband had been a doctor and now her son was one, and that she looked down on the Connors because they had come from famine Irish (although at least, thank God, Protestant). The two of*

> *them seldom met, except at Christmas, and never exchanged more than a few words. If they had ever really clashed it would have been like a brontosaurus running headlong into a tyrannosaurus*[101].

Après la mort d'Ewen, son univers est presque réduit à néant: "*Her men were gone, her husband and her sons, and a family whose men are gone is no family at all*[102]". C'est ainsi qu'elle quitte Manawaka et que Vanessa, sa mère et son frère s'installent chez grand-père Connor.

Si la mère de Christine semble dominer les histoires de *Rue Deschambault* et de *la Route d'Altamont* (la mère en tant que type de personnage y paraît très fréquemment), le rôle de la mère de Vanessa est d'une importance considérablement moindre dans *A Bird in the House*. En effet, c'est plutôt la figure du grand-père Connor qui domine les récits et la vie de Vanessa. Exception faite de Jason Currie dans *The Stone Angel* et de Jules Tonnerre dans *The Diviners*, les personnages masculins bien dessinés, surtout les personnages de père, paraissent très rarement dans l'oeuvre romanesque de Margaret Laurence. Timothy Connor domine tous et toutes dans l'univers de Vanessa, à commencer par sa propre femme, ses enfants, sa petite-fille, sans oublier son frère, Dan[103]. Vanessa se rebellera tôt contre cette domination; serait-ce par esprit de contradiction en quelque sorte que Margaret Laurence s'applique à dessiner des portraits de femmes parfois fortes et indomptables? Cela nous semble tout à fait vraisemblable, d'autant plus que le portrait de Timothy Connor ressemble fortement à celui du grand-père Simpson qui a marqué de manière décisive la vie de la romancière.

Comme Jason Currie, Timothy Connor a entrepris son odyssée vers l'Ouest canadien presque sans le sou, et s'est fait à partir de rien. Il est très imbu de l'éthique tout à fait protestante du travail. Personnage autoritaire et inflexible, il impose sa volonté et son point de vue à tout le monde. Homme fier et indépendant, il ne veut être redevable à personne:

> *As for trouble — the thought of my grandfather asking any soul in Manawaka to give aid and support to him in any way whatsoever was inconceivable. He would have died of starvation, physical or spiritual, rather than put himself in any man's debt by so much as a dime or a word*[104].

Ayant réussi dans la vie grâce aux valeurs simples et rigoureuses des pionniers, il manifeste la même simplicité, la même rigueur dans certaines de ses opinions:

> *Grandfather Connor's normal opinions on social issues possessed such a high degree of clarity and were so frequently stated that they were well known even to me — all labour unions were composed of thugs and crooks; if people were unemployed it was due to their own laziness; if people were broke it was because they were not thrifty*[105].

Lorsque sa fille cadette, Edna, revient à la maison paternelle, ayant perdu son emploi à Winnipeg, Timothy Connor repousse vivement tous les prétendants de sa fille, qui a pourtant presque la trentaine. Il s'impose également lorsque Vanessa s'éprend d'un militaire plus âgé qu'elle, marié par surcroît. Ce n'est que plus tard que Vanessa s'en rendra compte. L'opposition catégorique de son grand-père à ses fréquentations provoque en Vanessa une grande colère; son grand-père ayant reproché, bien qu'intuitivement, à son ami d'être déjà marié, un affrontement entre le grand-père et la petite-fille est inévitable:

> *I jumped to my feet and faced him. Our anger met and clashed silently. Then I shouted at him, as though if I sounded all my trumpets loudly enough, his walls would quake and crumble.*
> *"That's a lie! Don't you dare say anything like that ever again! I won't hear it! I won't!*[106].

Cette initiation douloureuse à l'amour est, à quelques nuances près, comme celle de Christine et Wilhelm évoquée plus haut. L'amour entre les gens de même génération dans l'oeuvre de Gabrielle Roy et de Margaret Laurence est souvent difficile, voire impossible. Vanessa gardera pendant longtemps le souvenir de cette expérience. "*part of the accumulation of happenings which can never entirely be thrown away*[107]".

Ayant entravé l'initiation de Vanessa à l'amour, c'est aussi son grand-père Connor qui lui accordera sa première confrontation directe avec la mort. Après une absence de deux ans, elle retourne à Manawaka pour les funérailles de son grand-père, les premières auxquelles elle assiste. Elle était trop jeune lorsque son père et sa grand-mère Connor sont morts.

> *I was not sorry that he was dead. I was only surprised. Perhaps I had really imagined that he was immortal, in ways which it would take me half a lifetime to comprehend*[108].

Vingt ans plus tard, Vanessa se retrouve de nouveau à Manawaka où elle revoit la maison en briques qu'elle lie étroitement au souvenir de son grand-père autoritaire et dominateur: "*I had feared and fought the old man, yet he proclaimed himself in my veins*[109]".

L'enfance sert en quelque sorte de clef à la compréhension des personnages dans l'oeuvre romanesque de Gabrielle Roy et de Margaret Laurence et offre en même temps des indices indispensables à la compréhension de la vision sociale des deux romancières.

Roy et Laurence reconnaissent elles-mêmes le caractère profondément marquant de l'enfance, comme en font foi *Rue Deschambault, la Route d'Altamont, Ces enfants de ma vie* et *A Bird in the House*. En pénétrant dans l'univers de Gabrielle Roy/Christine et de Margaret Laurence/Vanessa, nous observons, comme elles, les êtres qui les entourent et les influencent. Les conclusions que nous pouvons en tirer reposent moins sur le degré d'authenticité des récits, au moins en partie autobiographiques[110], que sur la perception qu'ont Christine et Vanessa de leur environnement et de leurs proches, perception qui annonce ou confirme à maintes reprises certains traits essentiels des personnages que nous trouvons ailleurs dans l'oeuvre romanesque de Roy et de Laurence.

Deux êtres dominent les récits de Christine et de Vanessa: la mère de Christine et le grand-père maternel de Vanessa. La présence et l'influence de ces deux "personnages" (bien qu'ils soient calqués sur des parents qui ont réellement existé, ils figurent néanmoins dans des récits fictifs) ont été déterminantes dans le cheminement de Christine et de Vanessa, d'une part, et dans la vie de Roy et de Laurence d'autre part.

La vision de l'enfance de Gabrielle Roy est nettement moins sombre que celle de Margaret Laurence. Rappelons la présence troublante de la mort dans les récits de Vanessa. L'influence d'Éveline sur sa fille est nettement plus positive que celle qu'exerce le grand-père Connor sur sa petite-fille. En effet, la personnalité de Vanessa semble se définir surtout par opposition à Timothy Connor; elle est très sensible à l'influence parfois néfaste de son grand-père sur sa femme et ses enfants, dont la mère de Vanessa et sa tante Edna. Vanessa est pendant longtemps obsédée par le souvenir de cet homme et il n'est pas surprenant que la quête de la liberté des héroïnes de Margaret Laurence soit à maintes reprises reliée à une réconciliation avec le passé.

Au niveau des symboles même, le contraste entre l'univers de Christine et celui de Vanessa est on ne peut plus frappant: la rue et la route appellent à l'exploration, à la découverte, à la communication. En revanche, le sombre bastion de grand-père Connor, solide et immuable, à l'image même de son propriétaire, évoque plutôt des images de conflit, de désaccord et d'incommunicabilité. Les oiseaux dans l'univers de Christine traversent le chemin d'Éveline et de sa fille, les appellent à voyager, voltigent dans leurs rêves et leurs souvenirs; chez Vanessa, ils sont plutôt symboles d'emprisonnement et annonciateurs de la mort.

Dans les chapitres précédents nous avons essayé de mettre en relief les nombreuses correspondances frappantes entre les personnages féminins, surtout, de Gabrielle Roy et de Margaret Laurence. La conception que se font les deux romancières de la mère et de la condition féminine en général (puisqu'il est avant tout question de femmes et de mères de familles, le père et le personnage masculin tout court étant relativement absents du décor) semble surgir essentiellement d'une seule et même source: l'enfance. À la lumière de notre étude des enfants et des enfances, tels que revus et corrigés par Roy et Laurence, il nous semble juste de conclure que la mère et le grand-père, personnages clefs de l'univers de Christine et de Vanessa, déterminent ou définissent très largement, directement ou par ricochet, la plupart des autres personnages de l'oeuvre romanesque.

---

1 Cité par Margaret Laurence dans "*Sources*", *Mosaic*, 3, No. 3 (1970), 80.

2 Gabrielle Roy, "Le Manitoba", *Fragiles lumières de la Terre*, p. 151.

3 "Thèmes et structures de *Bonheur d'occasion*", *Écrits du Canada français*, 22 (1966), 106.

4 Northrop Frye, *The Bush Garden* (Toronto: Anansi, 1971), pp. 238-39.
At the heart of all social mythology lies what may be called...a pastoral myth, the vision of a social ideal. The pastoral myth in its most common form is associated with childhood.... The nostalgia for a world of peace and protection, with a spontaneous response to the nature around it...is particularly strong in Canada. ...Its influence is strong in the most serious writers: one thinks of Gabrielle Roy following her Bonheur d'occasion *with la* Poule d'Eau [sic].

5 Voir *Another Time* (Erin: Press Porcépic, 1977), p. 50.
One obvious reason is that form the adult's point of view the child's vision is a vision of innocence, of a lost Eden; another way of putting this is that the child's vision — again from the adult's point of view — is of home; and that surely is the essence of what we mean by a region, the overpowering feeling of nostalgia associated with the place we know as the first *place, the* first *vision of things, the* first *clarity of thing.*

6 Malcolm Cowley, *Exile's Return* (New York: The Viking Press, 1965), p. 14.
...the country of our childhood survives, if only in our minds...; we carry its image from city to city as our most essential baggage...

7 François Ricard, "Hommage à Gabrielle Roy....", *Liberté*, 18, no 1 (Janvier-février 1976), 74.

8 Gilles Marcotte, "Gabrielle Roy dialogue avec son enfance", *Les bonnes rencontres* (Montréal: Hurtubise HMH, 1971), p. 153.

9 Margaret Laurence, *A Bird in the House* (Toronto: McClelland & Stewart-Bantam, 1978), p. 1. C'est cette maison-là plus que tout autre à Manawaka que je porte en moi. Connue en ville comme "la vieille maison des Connor" et dans la famille comme "la Maison en briques", elle était aussi ordinaire que les navets gardés pendant l'hiver au caveau. Comme quelque forteresse crénelée de croisés dans un désert barbare, elle avait peu de fenêtres, ses pièces demeurant dans une perpétuelle obscurité sauf, brièvement, au milieu de l'été. Il y avait depuis au moins cinquante ans des bâtiments en briques à Manawaka, mais à l'époque où mon grand-père avait construit sa maison, elle avait été la première du genre.

10 Voir Kent Thompson, "*A Bird in the House*", *The Fiddlehead*, 84 (1970), 108.

11 Gilles Marcotte, *loc. cit.* Le souci de redécouvrir le passé est surtout manifeste dans *The Diviners* de Margaret Laurence.

12 Voir François Ricard, *Gabrielle Roy* (Montréal: Fides, 1975), p. 91.

13 Voir Clara Thomas, *The Manawaka World of Margaret Laurence* (Toronto: McClelland & Stewart, 1975), p. 98.

14 *RD*, "Petite misère", p. 41.

15 *Ibid.*, "Pour empêcher un mariage", pp. 60-61. C'est nous qui soulignons.

16 *Ibid.*, "Les déserteuses", p. 110.

17 *Ibid.*, "Alicia", p. 165.

18 *Ibid.*, p. 179.

19 *Ibid.*, "Le jour et la nuit", p. 273.

20 *RA*, "La route d'Altamont", p. 198.

21 *RD*, "Mon chapeau rouge", p. 52.

22 *Ibid.*, "Les déserteuses", p. 120.

23 *Ibid.*, p. 133.

24 *Ibid.*, "Ma tante Thérésina Veilleux", p. 184.

25 *Ibid.*, p. 195.

26 *Ibid.*, "Les bijoux", p. 239.

27 *Ibid.*, "La voix des étangs", p. 246.

28 *Ibid.*, "Le jour et la nuit", p. 268.

29 *Loc. cit.*

30 *RA*, "Ma grand-mère toute-puissante", p. 11.

31 *Ibid.*, p. 31.

32 *Ibid.*, p. 42.

33 *Ibid.*, "Le vieillard et l'enfant", p. 94.

34 *Ibid.*, p. 147.

35 *Ibid.*, "Le déménagement", p. 172.

36 *Ibid.*, p. 174.

37 *Ibid.*, p. 186.

38 *Ibid.*, "La route d'Altamont", p. 226.

39 *Ibid.*, p. 227.

40 *CEV*, "La maison gardée", p. 115.

41 Voir Gabrielle Pascal, "La condition féminine dans l'oeuvre de Gabrielle Roy", *Voix et images*, V, no 1 (automne 1979), 143-163.

42 *RD*, "Le jour et la nuit", p. 266.

43 *Loc. cit.*

44 *RD*, "Alicia", p. 166.

45 *Ibid.*, "Un bout de ruban jaune", p. 72.

46 *RA*, "La route d'Altamont", p. 235.

47 *Ibid.*, p. 236.

48 *RD*, "Les déserteuses", p. 137.

49 *Ibid.*, p. 138.

50 *Ibid.*, "L'Italienne", p. 216.

51 *CEV*, "De la truite dans l'eau glacée", p. 139.

52 *Ibid.*, p. 190.

53 *Ibid.*, p. 197. Pour mademoiselle Côté il s'agit de "la carrière la plus méritoire, la plus exaltante à ses yeux!" *(PPE*, p. 76). Joséphine Tousignant (qui deviendra institutrice) a une "passion d'apprendre" *(Ibid.*, p. 135). Dans *Rue Deschambault*, Éveline dit à Christine, "Si tu voulais...devenir institutrice! ...Il n'y a pas d'occupation plus belle, plus digne, il me semble, pour une femme... ("Gagner ma vie", p. 283). Toutefois, dans "Mémoire et création: préface de *la Petite Poule d'Eau" (FLT*, p. 196) Gabrielle Roy parle des "responsabilités presque tragiques du métier d'institutrice." Dans *The Fire-Dwellers* (p. 154), au cours d'une rêverie, Stacey MacAindra s'imagine avec ses enfants dans le Nord: elle est institutrice dans une communauté rustique composée de fermiers et d'Indiens, tous fort contents de sa présence. Rachel Cameron est institutrice à Manawaka; parfois son métier lui paraît une sorte de maternité par substitution. Voir aussi "La condition féminine dans l'oeuvre de Gabrielle Roy" de Gabrielle Pascal.

54 *CEV*, "L'enfant de Noël", p. 28.

55 *Ibid.*, "L'alouette", p. 57.

56 *Ibid.*, "Demetrioff", p. 64.

57 *Ibid.*, p. 70.

58 *Ibid.*, p. 71.

59 *Ibid.*, p. 74.

60 *Ibid.*, "La maison gardée", p. 96.

61 *Ibid.*, p. 117.

62 *Ibid.*, p. 126.

63 *Ibid.*, p. 119.

64 *Ibid.*, "De la truite dans l'eau glacée", p. 169.

65 *RD*, "Petite misère", p. 42.

66 *RA*, "Le vieillard et l'enfant", p. 80.

67 *RD*, "Mon chapeau rouge", p. 52.

68 *Ibid.*, "Les déserteuses", p. 118.

69 *Ibid.*, "Le puits de Dunrea", p. 147.

70 *Ibid.*, "Ma tante Thérésina Veilleux", p. 189.

71 *Ibid.*, "Les bijoux", p. 236.

72 *Ibid.*, p. 240.

73 *Ibid.*, p. 239.

74 *RA*, "Le déménagement", p. 172.

75 *Ibid.*, p. 173.

76 *Ibid.*, p. 181.

77 *Ibid.*, p. 174.

78 *RD.*, "Le jour et la nuit", p. 269.

79 Voir Brandon Conron, Introduction to *Street of Riches* (Toronto: McClelland & Stewart, NCL no. 56, 1967), p. ix.

80 *RD*, "Les déserteuses", p. 106.

81 *Ibid.*, p. 108.

82 *Ibid.*, "Le puits de Dunrea", p. 141.

83 *Ibid.*, "Le jour et la nuit", p. 265.

84 *CEV*, "De la truite dans l'eau glacée", p. 171.

85 *Ibid.*, p. 172.

86 *Ibid.*, p. 174.

87 *RD*, "L'Italienne", p. 209.

88 *RA*, "Le vieillard et l'enfant", p. 75.

89 *RD*, "Wilheim", p. 228.

90 *Loc. cit.*

91 *RD*, "Le jour et la nuit", p. 270.

92 La mort est relativement absente des récits sur l'enfance de Gabrielle Roy (que l'on songe à la mort d'Alicia, qui a fortement marqué Christine, il est vrai, ou à celle d'Éveline, évoquée pourtant très discrètement, ou encore à "L'Enfant morte" dans *Cet été qui chantait*). En revanche, la mort est très présente dans *A Bird in the House*. En dix ans, Vanessa perd successivement son père, sa grand-mère Connor et son grand-père Connor. Son grand-père McLeod est déjà mort (un an après la naissance de Vanessa); elle n'a jamais connu son oncle Roderick, mort pendant la Première Guerre mondiale. Lorsque Vanessa a douze ans, un oiseau sauvage pris dans la maison rappelle à la femme de ménage un vieux dicton selon lequel un oiseau dans la maison présage la mort. Ewen MacLeod meurt aussitôt après de pneumonie, et dans l'esprit de Vanessa, sa mort est associée à la présence de l'oiseau. Hagar Shipley évoque ce dicton dans *The Stone Angel*.
L'oiseau est aussi le symbole de la "captivité" de grand-mère Connor; chez Christine, les oiseaux symbolisent plutôt la liberté.
Dans *A Jest of God*, Rachel Cameron parle du vol des "*free gulls*". (p. 246)

93 Margaret Laurence, "*The Sound of Singing*", *A Bird in the House* (Toronto: McClelland & Stewart-Bantam, 1978), p. 3. [Elle est] de forte corpulence et sans taille....

94 *Ibid.*, p. 4. Lorsque j'ai demandé à ma grand-mère si l'oiseau s'ennuyait dans sa cage, elle a hoché la tête et a répondu que non, il a toujours été là et ne saurait que faire une fois libéré, car on disait dans la famille qu'elle serait incapable de mentir même pour sauver sa peau.

95 *Ibid.*, p. 13. Il était convenu dans la famille qu'il ne fallait pas indisposer grand-mère Connor. Ce droit revenait exclusivement à son mari. Nous autres, nous la dorlotions volontiers, croyant qu'elle avait besoin de protection.

96 *BH*, "*The Mask of the Bear*", p. 67. Je ne pouvais encore croire que quelqu'un que j'aime puisse vraiment mourir.

97 *Ibid.*, "*To Set Our House in Order*", pp. 37-38.
Avant la fin de notre troisième année ici, il avait fait construire cette maison. Il gagnait bien sa vie, ton grand-père. Peu après notre arrivée ici, il avait plus de patients que l'un ou l'autre des médecins déjà sur place. Toute la vaisselle et l'argenterie ont été commandées chez Birks à Toronto. Nous avions des domestiques à cette époque-là, bien entendu, et n'invitions jamais moins de douze convives à dîner. Lorsque je recevais pour le thé, on était toujours vingt ou trente. Il y avait toujours au moins six sortes de gâteau.

98 *Ibid.*, p. 34. Elle ne croyait pas à la peur, ou s'il en était ainsi, elle se gardait bien de le dissimuler.

99 Comme la mort, la guerre figure de façon frappante dans l'oeuvre de Margaret Laurence. Ses personnages masculins ont fait ou font souvent la guerre: Marvin Shipley, Colin Gunn et Christie Logan reviennent tous de la Première Guerre mondiale; Christie Logan en sera profondément traumatisé jusqu'à sa mort; Jules Tonnerre s'enrôle pendant la Deuxième Guerre mondiale; son grand-père a participé à la rébellion de Riel.

100 *BH*, "*To Set Our House in Order*", p. 44. Elle a connu pendant sa vie des peines dont tu sais très peu de choses. C'est pour cela qu'elle a parfois des migraines et doit se mettre au lit. Sa vie n'est pas facile maintenant non plus — la maison est encore comme elle était auparavant et elle pense que tout devrait rester comme avant. Il est blessant de constater que les choses ont changé....

101 *Ibid.*, p. 53. Il soutenait, justement, qu'elle prenait des airs parce que son mari et son fils étaient médecins, et qu'elle méprisait les Connor parce que leurs ancêtres ont connu la famine en Irlande (pourtant, ils étaient au moins, Dieu merci! protestants). Elle et lui ne se rencontraient presque jamais, sauf à Noël, et ne se parlaient presque pas. Si jamais il devait leur arriver une échauffourée, ce serait comme un brontosaure qui se jette tête baissée sur un tyrannosaure.

102 *Ibid.*, "*A Bird in the House*", p. 94. Ses hommes étaient tous morts, son mari et ses fils, et une famille sans hommes n'en est pas une du tout.

103 Dan rappelle à bien des égards Bram Shipley. Il est fermier de son métier, mais n'arrive que rarement à ensemencer la terre; insouciant, rêveur, grand buveur, il passe son temps à acheter et à vendre des chevaux. Il est très mal vu par son frère, Timothy; pourtant il semble heureux; bien qu'il soit né en Ontario, il s'invente toute une personnalité d'Irlandais révolutionnaire (surtout pour distraire Vanessa). "C'est presque toujours, dans une famille, le rêveur qui l'emporte" comme dira Christine dans "La route d'Altamont" (p. 190).

104 *BH*, "*The Mask of the Bear*", p. 61.
Quant aux difficultés, il était inconcevable que mon grand-père demande quoi que ce soit de quiconque. Il aurait préféré mourir de faim, physiquement ou spirituellement, que de devoir dix sous ou un mot à qui que ce soit.

105 *Ibid.*, p. 62. Les opinions de grand-père Connor sur les questions d'ordre social étaient tellement claires et si souvent énoncées que même moi, je les connaissais: il n'y avait que des voyous et des escrocs au sein des syndicats; c'était à cause de leur paresse que les gens ne trouvaient pas de travail; si les gens étaient fauchés, c'était parce qu'ils n'étaient pas économes.

106 *Ibid.*, "*Jericho's Brick Battlements*", p. 172.
Je me suis levée précipitamment pour lui faire face. Sa colère et la mienne se heurtaient silencieusement. C'est alors que je me suis écriée, comme si je pouvais faire trembler et s'effondrer ses murs en faisant résonner le plus fortement possible toutes mes trompettes.
— C'est un mensonge! Ne le répète plus jamais! Je te le défends!

107 *Ibid.*, p. 174. ...une partie de l'ensemble des expériences dont nous ne pouvons jamais nous débarrasser.

108 *Ibid.*, p. 177. Je ne regrettais pas sa mort. J'en étais simplement surprise. Peut-être ai-je imaginé qu'il était immortel. Peut-être l'était-il, mais d'une manière que je comprendrais seulement à mi-chemin de ma propre vie. Voir aussi la grand-mère "toute-puissante" de Christine.

109 *Ibid.*, "*Jericho's Brick Battlements*", p. 179. J'avais redouté le vieux et avais lutté contre lui, mais malgré tout, nous étions à jamais liés par le sang.

110 Il n'est pas de notre propos d'entamer un examen minutieux ou anecdotique des correspondances entre la vie de Roy et de Laurence et leurs souvenirs d'enfance tels que présentés dans les oeuvres mentionnées plus haut. Nous renvoyons le lecteur aux études de François Ricard, de Marc Gagné et de Joan Hind-Smith, qui comportent toutes des précisions d'ordre biographique sur Gabrielle Roy (dans *Three Voices* de Hind-Smith il y a également une étude de la vie et l'oeuvre de Laurence). Lors de la parution de *A Bird in the House*, Margaret Laurence a précisé que les récits du recueil s'inspiraient de sa propre famille et de sa propre enfance, étant la seule fiction à caractère autobiographique qu'elle ait écrite (voir "*Sources*", p. 82). Ajoutons, toutefois, que le cheminement de Morag Gunn en tant qu'écrivain dans *The Diviners* correspond à bien des égards à celui de Laurence.

CHAPITRE IX

L'ESPACE DANS L'OEUVRE ROMANESQUE DE GABRIELLE ROY ET DE MARGARET LAURENCE

Pourtant, de tout ce que m'a donné le Manitoba, rien sans doute ne persiste avec autant de force en moi que ses paysages.

Gabrielle Roy[1]

When one thinks of the influence of a place on one's writing, two aspects come to mind. First, the physical presence of the place itself— its geography, its appearance. Second, the people. For me, the second aspect of environment is the most important, although in everything I have written which is set in Canada, whether or not actually set in Manitoba, somewhere some of my memories of the physical appearance of the prairies come in.

Margaret Laurence[2]

Nous nous sommes réservé de parler en dernier lieu de l'importance de l'espace dans l'oeuvre romanesque de Gabrielle Roy et de Margaret Laurence en raison de l'influence primordiale qu'il a exercée et continue d'exercer sur les deux romancières. En effet, l'enfance et l'espace, entre lesquels il existe de puissants liens dans l'optique de Roy et de Laurence, ont certainement marqué de manière déterminante la conception et l'élaboration de leurs personnages.

"Loin d'être indifférent, l'espace dans un roman s'exprime...dans des formes et revêt des sens multiples jusqu'à constituer parfois la raison d'être de l'oeuvre[3]". Selon Georges Poulet, l'espace est "l'une des conditions fondamentales de toute représentation sensible du monde extérieur et de soi-même[4]". En outre, "la cohérence d'une oeuvre romanesque tient essentiellement à ce que celle-ci exprime une certaine vision du monde, vision qui se manifeste plus ou moins explicitement par les décors spatiaux...[5]".

L'espace exerce un attrait particulier sur les artistes canadiens, surtout en raison de la vastitude du décor naturel et de l'immensité des distances:

> L'originalité de la culture canadienne repose essentiellement sur notre sensibilité aux immenses distances pénétrantes où les réseaux de communication sont étendus à l'extrême limite; cette réalité géographique primordiale n'existe nulle part ailleurs. Dans les meilleurs tableaux de Thomson et du Groupe des Sept, la perspective est centrée sur l'horizon, une étendue d'eau ou une ouverture dans les collines convergeant vers un point tout à fait à l'arrière-plan. Chez Emily Carr aussi, le véritable centre de vision semble être au fond de la forêt, derrière le tableau pour ainsi dire. Nombre de poètes et romanciers canadiens font sentir cette distance tendue dans leurs oeuvres...[6].

L'importance de l'espace dans la littérature des Prairies a fait l'objet de plusieurs études importantes. Sans entrer dans le détail, signalons entre autres celles de W.H. New (*Articulating West*), Edward McCourt (*The Canadian West in Fiction*), Laurence Ricou (*Vertical Man/Horizontal World: Man and Landscape in Canadian Prairie Fiction*)[7], Donald G. Stephens (*Writers of the Prairies*)[8], et Henry Kreisel ("*The Prairie: A State of Mind*")[9].

"À moins de fausser la pensée de [Gabrielle Roy], l'on ne peut guère ignorer la place qu'y occupe le paysage. À maintes reprises, celui-ci atteint la stature d'un véritable personnage, parfois bienveillant comme dans *la Petite Poule d'Eau* ou *la route d'Altamont*, parfois obstacle à vaincre, hostile ou indifférent, surtout lorsqu'il s'agit du paysage de pierre et d'affiches au néon, ou des taudis de la grande ville. Sa présence, quelque modifiée qu'elle soit, est constante...[10]". De nombreux critiques ont souligné l'importance capitale du lien entre le paysage et la définition de la notion de *lieu* dans la fiction canadienne (voir Northrop Frye et Margaret Atwood entre autres); ce lien se manifeste souvent dans l'oeuvre de Gabrielle Roy. Selon Laurence Ricou, "le désir de se connaître peut être satisfait en partie par la connaissance de la place que l'on occupe dans l'univers. La place particulière qu'occupe l'homme dans les prairies est soulignée par Gabrielle Roy, surtout dans *la Route d'Altamont* (1966)...[11].

Le paysage joue un rôle également important dans l'oeuvre de Margaret Laurence. Toutefois, "son intérêt ne repose pas uniquement sur la nature mais surtout sur les effets de l'environnement sur les êtres humains. Ce qui lui importe, ce n'est pas ce qui arrive aux gens, mais de quelle manière ce qui leur arrive les touche.... Bien qu'elle s'intéresse essentiellement aux gens, Margaret Laurence se sert des prairies comme arrière-fond indispensable dans les portraits qu'elle en fait. L'attrait sensuel du paysage est toujours manifeste...[12]". Le paysage "a fortement influé sur les thèmes de la solitude, la soif de liberté et l'absence angoissante de contacts humains[13]". Selon Edward McCourt, "l'intense sympathie qu'elle a éprouvé à l'endroit de l'Afrique et des Africains découle en partie du fait qu'elle a été élevée dans les prairies, où, tout comme en Afrique, le vent, la poussière et les distances immenses sont des éléments familiers[14]".

Dans divers témoignages, Gabrielle Roy et Margaret Laurence rappellent la façon dont elles ont été marquées par les récits de voyage de leurs grands-parents, toutes deux étant issues de familles de pionniers. Les ancêtres de Roy sont arrivés du Québec, ceux de Laurence surtout de l'Écosse, en passant par l'Ontario. Les grands-parents maternels de Gabrielle Roy, originaires de la région des Laurentides au Québec, ont entrepris leur héroïque périple à une époque où les communications se faisaient souvent difficilement. Dans "Mon héritage du Manitoba", la romancière précise qu'ils ont effectué le voyage en empruntant divers moyens de transport, dont le train et le chariot. "Ainsi allait naître et se perpétuer dans notre famille un amour partagé entre la plaine et la montagne, un déchirement, comme je l'ai raconté dans *la Route d'Altamont*, mais aussi, car c'est dans toute vie, une inépuisable source de rêves, d'aveux, de départs et de "voyagements" comme peu de gens en connurent autant que nous, famille, s'il en fut jamais, *de chercheurs d'horizon*[15]". Son passé au Manitoba, "c'est avant tout...un certain sentiment d'exaltation, ce mouvement de l'âme qui lui permet, un instant, de s'unir à l'infini[16]". Comme nous le verrons plus loin, l'horizon est souvent associé à un appel au voyage, au mouvement, à la découverte de soi et d'autrui dans l'oeuvre de Gabrielle Roy; parfois, la soif de liberté que suscitent les pressants appels de l'horizon fait naître une certaine instabilité chez les personnages.

L'immensité du ciel et l'éloignement de l'horizon manitobains sont parmi les souvenirs les plus marquants que la romancière garde de la partie de sa vie passée dans son Manitoba natal:

> Les mouettes viennent-elles encore si loin à l'intérieur pour

> entourer le clocher de Saint-Boniface? Leur vol presque silencieux, leur faible cri quand le temps était pluvieux sont mes souvenirs les plus tenaces. J'aimais qu'elles viennent jusqu'au milieu d'un continent nous apporter, avec le sentiment du large, une angoisse des îles. Nous étions bien aussi comme dans une île, nous de Saint-Boniface, seuls dans l'océan de la plaine et de toutes parts entourés d'inconnu[17].

> Ils sont immenses, les ciels du Manitoba. Il nous ont faits différents de ce que nous aurions été ailleurs. Oui, ce ciel immense invite à connaître et à aller voir, toujours ce qui est au bout de l'horizon. C'est pour cela sans doute que nous avons quitté le Manitoba...mais c'est pour cela qu'il nous a marqués[18].

> Vous savez combien il se joue de nous cet horizon du Manitoba? Que de fois, enfant, je me suis mise en route pour l'atteindre! On croit toujours que l'on est à la veille d'y arriver, et c'est pour s'apercevoir qu'il s'est déplacé légèrement, qu'il a de nouveau pris un peu de distance. C'est un grand panneau indicateur, au fond, de la vie, qu'une main invisible s'amuse sans doute à sans cesse reporter plus loin. Avec l'âge, enfin, nous vient du découragement et l'idée qu'il y a là une ruse suprême pour nous tirer en avant et que jamais nous n'atteindrons l'horizon parfait dans sa courbe. Mais il nous vient aussi parfois le sentiment que d'autres après nous tenteront la même folle entreprise et que ce bel horizon si loin encore, c'est le cercle enfin uni des hommes[19].

Dans les pages qui suivent, nous nous proposons d'étudier rapidement les personnages de Gabrielle Roy et de Margaret Laurence en fonction de l'influence qu'exerce sur eux l'espace. C'est surtout en puisant dans les oeuvres de Roy et de Laurence sur l'enfance que nous trouvons les indices les plus révélateurs sur "les innombrables facettes de la nature et son étrange symbiose avec l'homme[20]", indices dont on rencontre l'écho partout ailleurs dans l'oeuvre romanesque.

Encore enfant, Gabrielle Roy/Christine, se remettant d'un accès de coqueluche, se souvient: "Dans mon hamac, toute seule et bercée par le vent seulement...j'ai découvert...presque tout ce que je n'ai jamais cessé de tant aimer dans la nature: ...Et, au fond, tous les voyages de ma vie, depuis, n'ont été que des retours en arrière pour tâcher de ressaisir ce que j'avais tenu dans le hamac et sans le chercher[21]". C'est également à cette époque que Christine acquiert ses "goûts de vagabondage[22]" qui, selon sa mère, sont "[une] maladie de famille, [un] mal du départ[23]".

Lorsque la famille de Christine cherche à dissuader sa soeur aînée, Georgianna, de se marier, Christine entreprend avec sa mère un voyage afin qu'Éveline puisse faire entendre raison à sa fille. Ce voyage révèle à Christine la grandeur du pays; plus tard, lorsqu'elle accompagne sa mère au Québec, elle en est frappée davantage: "J'ai trouvé le Canada immense, et il paraît que nous n'en avons traversé qu'un tiers environ[24]".

Encore enfant, Gabrielle Roy/Christine est aussi très sensible à l'attrait de l'horizon:

> Mais le jour où je rencontrai le vieillard, je n'allais pas très vite. Au contraire, je venais péniblement, montée sur des échasses. D'où venait chez les enfants de par chez nous, en ce temps-là, le goût de se haut percher? (Notre pays était plat comme la main, sec et sans obstacles). Était-ce pour voir loin dans la plaine unie?... Ou plus loin encore, dans une sorte d'avenir?...[25].

À travers ses explorations imaginaires, qui l'amènent jusqu'en des pays étrangers, Christine manifeste un goût très prononcé pour les voyages. Par la suite, Monsieur Saint-Hilaire lui propose de l'accompagner en promenade au lac Winnipeg, perspective infiniment réjouissante pour elle, mais vaguement entachée de remords et de regret:

> Ma pauvre mère! Avais-je seulement jusqu'alors pensé qu'elle non plus n'avait jamais vu le grand lac Winnipeg, pas si éloigné pourtant de notre ville; mais, asservie à nos besoins, quand, comment aurait-elle pu vivre un jour au moins selon les désirs toujours avides de son âme, ces vastes désirs tournés vers l'eau, les plaines, les lointains horizons en lesquels nous nous reconnaissons avec notre plus pur amour[26]!

Une fois arrivée au lac, Christine est quelque peu vexée de constater qu'elle n'a pas en réalité atteint son but: "Tout ce temps, je me crevais les yeux à essayer de percevoir, au delà de la vibration de la lumière sur l'eau, la fin du lac, ses rives lointaines... Peut-être que tout arrive à former un grand cercle, la fin et le recommencement se rejoignant[27]".

La sensibilité de Christine à la solitude découle certainement en partie des récits qu'elle a entendus pendant son enfance, dont certains de sa mère:

> — La plaine alors, me disait-elle, paraissait encore plus immense

qu'aujourd'hui, et le ciel aussi, plus immense; car il n'y avait pour ainsi dire pas de village le long de la piste, et même très peu de maisons.... J'étais attirée, avouait maman, penchant un peu la tête, comme s'il y eût un peu de mal à cela, tout au moins trop d'étrangeté. Attirée par l'espace, le grand ciel nu, le moindre petit arbre qui se voyait à des milles en cette solitude. J'étais très attirée[28].

Mais d'où vient que nos plaines glacées, que nos pauvres plaines gelées ne suffisaient pas à nous donner une assez haute idée de la solitude! Que pour en parler comme il faut, nous autres, gens enfoncés au plus intérieur du continent, nous évoquions l'océan! Était-ce qu'il y avait en nous beaucoup d'imagination, et trop de peine pour autrui?...[29].

Chez sa grand-mère "toute-puissante", Christine est frappée par le caractère foncièrement solitaire des prairies:

Il y avait une heure où malgré tout je m'ennuyais. C'était au moment où le soleil, sur le point de disparaître, jette sur la plaine une grande clarté rouge, lointaine et étrange, qui semble encore la prolonger, et aussi la vider comme de toute présence humaine, la rendre peut-être aux songes sauvages du temps où elle vivait dans sa solitude complète. On aurait dit alors que la plaine ne voulait pas sur elle de gens, de maisons, de villages, que, d'un coup, elle eût cherché à se défaire de tout cela, à se retrouver comme autrefois, fière et solitaire[30].

Ailleurs dans l'oeuvre romanesque, nous trouvons de nombreuses allusions à l'immensité du ciel et à la vastitude du paysage:

— Ils [les enfants Tousignant] se tenaient tous les cinq serrés à ne former qu'une seule tache minuscule contre l'horizon le plus vaste et le plus désert du monde[31].
— Ces pays du Nord, de grêles et immenses forêts et de lacs aussi immenses, ces pays d'eau et de petits arbres ont, de tous, le plus capricieux des climats[32].
— ...elle [Mademoiselle Côté] n'avait jamais cru que le Manitoba pût être si grand, si peu habité[33].
— Les nuages flottaient indéfiniment à travers le ciel, lents à se rejoindre[34].
— Le Manitoba...paraissait [à Luzina] alors s'ennuyer. Si grand, si peu couvert de noms, presque entièrement livré à ces

larges étendues dépouillées qui figuraient les lacs et les espaces inhabités! De plus en plus vide, de papier seulement et sans caractères écrits, plus on remontait vers le Nord[35].

— ...loin dans l'immense pays nu...[36].

— ...son immense et étrange pays...[37].

— ...contre le grand ciel nu de là-bas...[38].

— [Isaac, lorsque l'on le promène dans son fauteuil roulant aime que l'on le laisse] au sommet du mamelon le plus proche [pour voir au loin et non] dans des creux mornes où il n'y avait à voir ni eau frémissante ni lointain mystérieux[39].

— Nulle part le rude pays nu sous son ciel insistant n'avait de retraite pour l'amour[40].

— Le reste était sauvagerie, silence, ciel démesuré[41].

— Il pensait tout à coup qu'au-delà de l'immense champ glacé, à douze milles de distance, se trouvait...une réserve indienne[42].

— À l'extrémité septentrionale du Québec est un pays fait comme sous l'empire d'hallucinations: l'Ungava...l'inhumaine et stérile toundra...ne produit pour ainsi dire que des lichens et, entre autres, à l'infini, cette monotone toison rase, la mousse de caribou.... À perte de vue, en été, le ciel regarde cette terre vide, et la terre vide regarde ce ciel si curieusement plein de clarté[43].

— Il vit la longue plaine de la Crau, plate comme la mer; une immobile plaine à l'infini et couverte de tant de galets que l'esprit se perd en conjectures: d'où a pu venir pareille pluie bizarre[44]?

Gabrielle Roy reconnaît l'influence qu'a eue sur elle *La Steppe* de Tchekov, dont la lecture a suscité "[son] penchant à unir les paysages aux états d'âme[45]". Ce penchant se manifeste chez la jeune Christine en route vers le lac Winnipeg: "J'aperçus alors — ou crus apercevoir — une immense nappe de bleu tendre, vivant, profond, lisse et, me sembla-t-il, liquide. Mon âme pour l'accueillir s'élargit[46]". À plusieurs reprises, Alexandre Chenevert trouve dans la nature le reflet de ses propres sentiments:

— Que d'espace, de lumière, de liberté[47]!

— Il regarda alors, tout à fait désemparé, l'immensité du monde tel qu'il lui avait été destiné. La nuit venait. La vallée prit une teinte grise, d'abandon. Le lac en son milieu jeta comme un reflet de miroir piqué et vieilli. Cette mauvaise lueur paraissait offrir à la conscience humaine un regard à la fois indifférent, sans pitié et cruellement sincère[48].

— Il vit l'herbe onduler à ses pieds en longs chemins où passait le vent; des oiseaux allaient à la dérive; une vingtaine d'espèces, exquises, dont il n'avait jamais vu la ressemblance, même en images; des nuages coulaient au loin; et il s'identifia avec une secrète entente du coeur aux éléments irresponsables et dociles de la création.... La vallée reposait au soleil, plane presque partout, sauf en deux ou trois endroits où elle s'élevait assez pour permettre à Alexandre de la découvrir dans son entier, calme, heureuse, épargnée[49].

— Il commença à s'ennuyer au lac Vert...[50] Le soleil vers la fin du jour, ne répandait jamais la même lumière sur le lac Vert. Quelquefois, elle était soufrée, évoquant pour Alexandre l'idée d'un naufrage qui ne laissait plus qu'une ombre lointaine sur l'eau indifférente; et, parfois, la solitude s'animait d'une verte lueur de pays inhabité...[51] Mais bientôt il erra entre les arbres sans plus les voir, lassé; toujours des troncs lisses, des branchages muets. La paix avait-elle donc ce caractère monotone et accablant[52]?

Dans *la Rivière sans repos*, lorsque Elsa et Jimmy se rendent chez l'oncle Ian, leur première impression du pays en est une de désolation: "L'endroit était d'une sauvagerie à remplir le coeur de détresse[53]".

Dans *Ces enfants de ma vie*, la plus récente des oeuvres de fiction de Gabrielle Roy, nous retrouvons la même présence envahissante de l'horizon lointain et des espaces immenses, qui soulignent d'une part l'extraordinaire fragilité de la présence humaine dans les prairies, et d'autre part la fraternité qui naît de l'isolement des êtres humains. Bien que les souvenirs qui servent de toile de fond remontent à une quarantaine d'années, certains éléments du décor s'imposent avec autant de force que dans des récits sur l'enfance ou des témoignages sur le Manitoba dont la création est nettement plus rapprochée de leurs sources. Tandis que dans *la Petite Poule d'Eau*, les Tousignant, bien qu'isolés, maintiennent des contacts avec le monde des alentours, par moments l'institutrice de *Ces enfants de ma vie* semble entièrement isolée dans la vaste plaine avec ses enfants.

— Au fond il n'y avait pourtant par là rien à voir.... Seulement un bout de route de terre qui s'élevait légèrement tout en tournant un peu sur lui-même et aussitôt se perdait dans l'infini. Rien donc que le ciel, un épaulement de riche terre noire contre ce bleu vif de l'horizon et, parfois, des nuages gréés comme d'anciens navires à voile. Pourquoi dans un pays si jeune l'espoir nous vient-il des espaces déserts et du merveilleux silence[54]!

— Pour moi cependant cette heure hésitante entre la nuit et le jour m'a toujours ensorcelée. Elle m'appelait, elle m'appelle encore comme un rêve où vont se dénouer nos tourments. J'ai déjà marché deux heures d'affilée, sans m'en apercevoir, en route sous le ciel obscur vers un dernier rougeoiement de l'horizon, comme si j'allais y trouver la réponse à ce qui nous hante depuis la naissance[55].

L'horizon ensorceleur rappelle sans cesse l'immensité de l'espace dans lequel se meuvent les personnages:

— Puis je me suis retournée et j'ai vu la plaine, cette espèce de gouffre sans limite où plongeaient mes petits chaque soir. Le spectacle ne me souleva pas de joie comme il faisait quand je le contemplais du village. Les déserts, la mer, la vaste plaine, l'éternité, attirent peut-être surtout, vus des rivages[56].

— [la maison des enfants auvergnats est] seule dans des champs immenses[57].

— ...Médéric et son cheval...un point noir et blanc dans l'immensité de la plaine rase...[58].

— Je contemplai les murs, les tableaux, la place de Médéric et, au-delà des fenêtres, les lointains sans fin.... Je vis ces petites silhouettes fragiles, si menues contre le ciel de là-bas.... Que se refermaient déjà sur eux, vastes comme ils étaient, ces silencieux et mornes espaces accablants, pour couper de tout mes pauvres enfants esseulés[59].

— Il y avait derrière lui une immensité de firmament telle que je n'en ai jamais vu nulle part ailleurs[60].

Le profond sentiment de solitude que soulève l'espace, le sentiment d'abandon et de détresse qui l'accompagne se manifestent à plusieurs reprises dans *Ces enfants de ma vie*:

— Je ne quittais pas des yeux la petite montée solitaire de la route où je les verrais apparaître un par un ou en groupes qui dessineraient une frise légère au bas du ciel. Chaque fois j'en étais émue. Je voyais poindre ces minuscules silhouettes dans l'ampleur de la plaine vide et je ressentais profondément la vulnérabilité, la fragilité de l'enfance en ce monde, et que c'est pourtant sur ces frêles épaules que nous faisons porter le poids de nos espoirs déçus et de nos éternels recommencements[61].

— M'aventurer, à cette heure, à travers la plaine d'aspect solitaire et tragique, ne me tentait guère, d'ailleurs[62].

— ...ce village isolé de la plaine[63].

— Il [Médéric] restait égaré des heures dans une sorte d'inertie pénible, faisant penser à un voyageur au fond d'une plaine sans repères, qui, ne sachant où se diriger, demeure indéfiniment sur place, sans pouvoir se décider à se mettre en marche[64].

— Je ne regardais plus que d'un oeil ennuyé la rase campagne...[65]

Au fur et à mesure qu'elle s'éloigne de ses enfants, l'institutrice est progressivement envahie par le paysage.

De tous les romans de Gabrielle Roy que nous avons examinés, les seuls dont l'intrigue ne se déroule pas entièrement ou du moins en grande partie à la campagne, ou dans un décor pour ainsi dire naturel, sont *Bonheur d'occasion* et *Alexandre Chenevert*. Or, même chez Rose-Anna Lacasse et Alexandre Chenevert, les souvenirs de la nature ne sont jamais très loin, bien qu'ils habitent tous deux le milieu urbain, dans une véritable jungle de béton, d'enseignes au néon et de cheminées d'usine. L'espace vital des Lacasse et des Chenevert est sensiblement le même, bien que ces derniers soient nettement plus aisés que les premiers. Leur environnement est restreint, étouffant, dénué de verdure; c'est à peine si nous apercevons quelques arbres chétifs qui cherchent obstinément à survivre au fond de quelque arrière-cour poussiéreuse. Pour Rose-Anna et Azarius, le voyage aux sucres revêt un caractère presque mythique: il permet non seulement de s'évader même momentanément de la ville et de la vie infernale que l'on y mène, mais aussi, de renouer avec le passé, et plus précisément, avec l'enfance. Les enfants Lacasse, qui ne connaissent que la vie urbaine, ne semblent pas deviner les secrets fabuleux que recèle la campagne aux yeux de leurs parents: "Aux yeux des enfants, la campagne n'était qu'espaces enneigés, qu'espaces d'un blanc gris avec, de-ci de-là, des morceaux de terre pelée et de grands arbres bruns qui se levaient dans la solitude; mais Rose-Anna et Azarius, qui se consultaient souvent du regard, souriaient d'un air entendu et souvent partaient à rêver ensemble... Des riens qui les plongeaient dans des réflexions béates et faciles[66]". Par la suite, cette tentative d'évasion s'avère un échec: au lieu de retrouver paix, bonheur et fraternité à la campagne au sein de sa famille, Rose-Anna ne trouve que reproches et amères déceptions.

Très souvent dans l'oeuvre romanesque de Gabrielle Roy, le voyage, lié étroitement à l'espace, surtout lorsque le récit se déroule en décor naturel, est envisagé comme un moyen de libération. Que l'on songe à Éveline qui entreprend un voyage pour renouer avec le passé ("Les déserteuses") ou qui retrouve ses souvenirs d'enfance en se promenant avec Christine le long de la route d'Altamont; que l'on songe à Luzina Tousignant, à qui ses nombreuses grossesses accordent la possibilité de voyager, de renouer des liens d'amitié, de rencontrer des gens et de prendre de leurs nouvelles.

Toute la mutation intérieure de Pierre Cadorai est étroitement liée au paysage, et le voyage lui permet dans un premier temps de découvrir la montagne, découverte donc d'un idéal artistique à atteindre, ensuite de se découvrir lui-même, à Paris. À la veille d'une excursion qu'il projette à travers la France, Pierre ressent profondément le lien fondamental entre le voyage et la liberté: "Rien que de les toucher: la petite casserolle [sic], le gobelet de fer-blanc, le réchaud, une lampe de poche, Pierre était déjà en route, un homme libre, un homme allié à l'univers[67]". Toute la vie de Pierre se déroule sous le signe du voyage, et tout son long périple est marqué de découvertes.

Même Elsa Kumachuk, dans *la Rivière sans repos*, sans oublier Deborah, Barnaby et Isaac, envisage la possibilité de reconquérir sa liberté de jadis en entreprenant son voyage vers le vieux Fort-Chimo; cependant, ce sont des contraintes imposées par la civilisation blanche, et non les entraves de la nature, qui l'empêchent de réaliser son projet. La réussite d'Elsa est bien mitigée, car elle retombe dans ses mauvaises habitudes en réintégrant le nouveau Fort-Chimo.

Enfin, l'institutrice de *Ces enfants de ma vie* semble être continuellement en mouvement, comme si elle désirait lutter contre l'immensité du décor en maintenant autant de liens que possible avec les gens des alentours. Ainsi, elle se rend chez les parents de divers enfants, découvrant parfois leur vie très dure. Elle voyage avec Médéric dans les collines de Babcock, voyage qui lui permet de mieux comprendre la nature des sentiments qui la lient au garçon; d'ailleurs, ce voyage en appelle un autre: celui de son départ, qui sera marqué de déchirements et de tristesse.

C'est donc surtout chez Rose-Anna Lacasse et Alexandre Chenevert que la nature n'apporte qu'un apaisement spirituel mitigé, et que le voyage constitue un échec plutôt qu'une réussite. Toutefois, il est intéressant de noter que la toute dernière image de *Bonheur d'occasion* évoque l'horizon: "Très bas dans le ciel, des nuées sombres annonçaient l'orage[68]".

Dans la première partie d'*Alexandre Chenevert*, la nature est pour ainsi dire absente; tout au plus en trouve-t-on une brève évocation dans les rêveries d'Alexandre: "Il restait une barre de jour au faîte des maisons comme une grève de sable au-dessus des toits plats et des vilaines enseignes; plus exactement, comme l'île de corail, son île du Pacifique où, s'il pouvait seulement l'atteindre, Alexandre s'imaginait qu'il serait un homme bon[69]". La deuxième partie du roman se déroule au lac Vert, et annonce le retour d'Alexandre à Montréal; la troisième partie se déroule uniquement en décor urbain. Rappelons que Gabrielle Roy se sert de cette division tripartite dans *la Petite Poule d'Eau, la Montagne secrète* et *la Rivière sans repos*.

Dans le cycle de Manawaka de Margaret Laurence, la prairie est un élément essentiel, bien que l'espace figure de manière moins explicite et que les descriptions de la nature soient moins nombreuses que dans l'oeuvre de Gabrielle Roy. Comme nous l'avions indiqué plus haut, Laurence s'intéresse surtout aux influences de l'environnement sur ses personnages, plutôt qu'à l'environnement proprement dit. Toutefois, son oeuvre contient de nombreux indices qui nous permettent d'établir un lien très étroit entre l'espace et le comportement des personnages, lien d'une importance capitale dans l'oeuvre de Gabrielle Roy également.

De nouveau, c'est en examinant d'abord les récits de Margaret Laurence sur l'enfance que l'on découvre la façon dont elle conçoit son environnement. Dans *A Bird in the House*, la prairie est présente dans tous les récits, explicitement ou implicitement: le grand-père de Margaret Laurence/Vanessa incarne en quelque sorte l'espace environnant. Pendant sa jeunesse Vanessa est très marquée par les histoires de son grand-père sur l'arrivée des pionniers dans l'Ouest canadien, et sur les débuts modestes de Timothy Connor à Manawaka. Dans un premier temps, parce qu'elle se révolte contre son aïeul, elle se montre indifférente à ses récits; elle projette d'écrire, parmi de nombreux projets, une histoire des pionniers, mais y renonce lorsqu'elle se rend compte que grand-père Connor en a été un. Toutefois, elle est amenée à apprécier de plus en plus les expériences vécues par celui-ci et à mieux comprendre la manière dont la vie des pionniers a pu façonner, marquer et influencer son grand-père.

La personnalité forte de grand-père Connor laisse rarement indifférents les gens autour de lui; c'est précisément son caractère autoritaire et arbitraire qui soulève la révolte chez Vanessa. Longtemps après avoir quitté Manawaka, elle est frappée de constater qu'un masque cérémonial des Haida, représentant un ours, symbole puissant de la nature, lui rappelle son grand-père:

> *It was a weird mask. The features were ugly and yet powerful. The mouth was turned down in an expression of sullen rage. The eyes were empty caverns, revealing nothing. Yet as I looked, they seemed to draw my own eyes towards them, until I imagined I could see somewhere within that darkness a look which I knew, a lurking bewilderment. I remembered then that in the days before it became a museum piece, the mask had concealed a man*[70].

Les Indiens sont plus près de la nature que les hommes blancs, et les pionniers de Manawaka ont toujours lutté avec acharnement pour vaincre la nature, plutôt que de vivre en harmonie avec celle. Dans "*The Loons*", Vanessa MacLeod a son premier contact avec les autochtones, ou plutôt avec les Métis, lorsque Piquette Tonnerre passe l'été avec sa famille au lac. Bien que Vanessa soit physiquement très près de la nature, à Manawaka ou à la campagne, elle en a une vision très romantique à cause de ses lectures; il en va ainsi de son attitude envers Piquette, à qui elle attribue des qualités quasi magiques:

> *I was a devoted reader of Pauline Johnson at this age, and sometimes would orate aloud and in an exalted voice,* West Wind, blow from your prairie nest; Blow from the mountains, blow from the west — *and so on. It seemed to me that Piquette must be in some way a daughter of the forest, a kind of junior prophetess of the wilds, who might impart to me, if I took the right approach, some of the secrets she undoubtedly knew...*[71].

Dans "*Horses of the Night*" le ciel immense et constellé d'étoiles du Manitoba souligne l'angoisse existentielle de Chris, le cousin de Vanessa; au cours d'une discussion avec lui sur la vastitude du firmament et l'infini, elle se rend compte du gouffre qui les sépare: "*He was twenty-one. The distance between us was still too great. For years I had wanted to be older so I might talk with him, but now I felt unready*[72]".

Lorsqu'elle retourne à Manawaka après une absence de vingt ans, Vanessa revoit la maison de son grand-père Connor; malgré la distance physique parcourue et le temps considérable écoulé depuis son enfance, elle est tout à coup consciente de porter en elle cette demeure et le souvenir ineffaçable de son grand-père. La dernière phrase de "*Jericho's Brick Battlements*" annonce simplement le départ de Vanessa.

Nous trouvons ailleurs dans l'oeuvre de Margaret Laurence des personnages fortement marqués par les prairies, surtout ceux qui partagent, ou cherchent à rejeter, les valeurs des pionniers.

Selon Edward McCourt, "Hagar Shipley a été largement façonnée par la communauté des pionniers dont elle fait partie. Son indépendance ardente, sa débrouillardise, son amour pour la terre immense et le ciel vide, témoignent de l'influence indéniable de l'environnement sur elle[73]". Au tout début de *The Stone Angel*, Hagar Shipley évoque l'ange de pierre qui veille sur le cimetière de Manawaka: ce symbole de son aveuglement et de son exil nous rappelle que le cimetière même symbolise la lutte entre les pionniers et la nature. Le désordre intrinsèque de la flore sauvage semble s'opposer diamétralement à l'ordre que désirent imposer les gens autour des tombes des leurs:

> *In summer the cemetery was rich and thick as syrup with the funeral-parlor perfume of the planted peonies, dark crimson and wallpaper pink, the pompous blossoms hanging leadenly, too heavy for their light stems, bowed down with the weight of themselves and the weight of the rain, infested with upstart ants that sauntered through the plush petals as though to the manner born...*
>
> *But sometimes through the hot rush of disrespectful wind that shook the scrub oak and the coarse couchgrass encroaching upon the dutifully cared-for habitations of the dead, the scent of the cowslips would rise momentarily. They were tough-rooted, these wild and gaudy flowers, and although they were held back at the cemetery's edge, torn out by loving relatives determined to keep the plots clear and clearly civilized, for a second or two a person walking there could catch the faint, musky, dust-tinged smell, of things that grew untended and had grown always, before the portly peonies and the angels with rigid wings, when the prairie bluffs were walked through only by Cree with enigmatic faces and greasy hair*[74].

Comme Vanessa MacLeod, Hagar Shipley se révolte contre sa famille: elle essaie de s'affirmer vis-à-vis son père autoritaire en se mariant avec Bram Shipley, mariage voué à l'échec en raison de leurs tempéraments incompatibles. Hagar ressemble à beaucoup d'autres personnages dont nous avons parlé, dans la mesure où sa quête de soi semble la condamner à être continuellement en mouvement. Elle quitte Manawaka et s'installe à Vancouver; elle retourne à Manawaka avant la mort de Bram Shipley, mais repart de nouveau pour Vancouver; elle y habite toujours lorsque la narration de ses souvenirs rejoint celle des derniers jours de sa vie. Le voyage joue un rôle déterminant dans sa réconciliation avec elle-même; son exil dans la nature, juste avant de mourir, constitue une étape décisive dans son cheminement personnel.

Dans *A Jest of God* l'espace environnant Manawaka agit de façon moins évidente sur Rachel Cameron: elle a passé toute sa vie dans le village, et semble moins sensible à la nature que d'autres héroïnes de Margaret Laurence. Les évocations de la nature sont rares au long de son récit; elle est brièvement évoquée dans les fantasmes érotiques de Rachel, qui nourrit une perception tout à fait romantique de la nature, comme Vanessa MacLeod:

> — *A forest. Tonight it is a forest. Sometimes it is a beach. It has to be right away from everywhere. Otherwise she might be seen. The trees are green walls, high and shielding, boughs of pine and tamarack, branches sweeping to earth, forming a thousand rooms among the fallen leaves*[75].

Lorsque Rachel fait l'amour pour la première fois avec Nick Kazlik, c'est dans un endroit infiniment plus banal, à découvert, sous le vaste ciel manitobain: cette vision de la nature ne correspond guère à celle de ses rêves:

> *The pasture is hillocked, filled with stumbling-places, gopher holes, stones. The rough sparse grass is not high except in tufts here and there. Beside the river, though, it is different. The grass is thick and much greener. The willows grow beside the Wachakwa, and their languid branches bend and almost touch the amber water swifting over the pebbles*[76].

L'une des dernières images dans *A Jest of God* en est une de voyage: en déménageant, en quittant physiquement Manawaka, Rachel envisage de recommencer sa vie, à l'instar de Hagar Shipley: "*We watched until the lights of the town could not be seen any longer. Now only the farm kitchens and the stars are out there to signpost the night. The bus flies along, smooth and confident as a great owl through the darkness...*[77]".

Chez Stacey MacAindra, la nature et l'environnement en général sont souvent conçus comme une menace; toutefois, une nature idéalisée et éloignée sert souvent de toile de fond à ses rêveries:

> *The lake is not large, but in the daytime it shines a deep oil blue. It is somewhere in the Cariboo. The Cariboo country. Up there. Somewhere. The barns are made of logs (Mac has told her, so she knows; he has been there). The boat she owns is only a rowboat, but she can manage it very well, skilfully in fact, and Ian and Duncan are good with it, too. The house is made of logs, but tightly chinked*

so that it is extremely weatherproof. It is an old converted barn[78].

La prairie est partout présente dans *The Diviners*. Pendant son enfance, Morag Gunn y est très sensible grâce surtout à Christie Logan: dans ses contes et légendes, l'espace joue un rôle déterminant dans le comportement des colons écossais. La prairie figure au premier plan également dans les récits de Jules Tonnerre sur ses ancêtres métis. Même adulte, Morag Gunn dialogue parfois avec Catharine Parr Traill, pionnière exemplaire (à ses yeux) dont elle aimerait assimiler quelques-unes des vertus[79].

Comme Christine, Morag éprouve à diverses époques de sa vie le goût du vagabondage: dans la troisième partie du roman, elle va de ville en ville, Vancouver, Londres, Crombruach, Toronto, McConnell's Landing, mais ces "voyagements" ne lui procurent pas la libération escomptée, qu'elle atteint en fin de compte à travers l'écriture.

Le roman se termine par l'image de la rivière, symbole de mouvement et de liberté, son courant coulant dans deux sens contraires, comme le passé et le présent qui se rencontrent continuellement.

"Toujours nous sommes en migration[80]" fait dire Gabrielle Roy à Christine dans *la Route d'Altamont*. Chez Roy et Laurence, tous les personnages ressentent le besoin de liberté, et tous cherchent à l'atteindre sans pourtant y parvenir toujours. Presque tous les personnages sont toujours en marche, toujours en mouvement vers une destination, la quête de soi se traduisant souvent par des déplacements dans le temps et l'espace[81]. Il en va ainsi pour Rose-Anna Lacasse, Luzina Tousignant, Alexandre Chenevert, Pierre Cadorai et Elsa Kumachuk. Hagar Shipley, Rachel Cameron, Stacey MacAindra et Morag Gunn ressentent toutes l'impérieux appel du lointain horizon à diverses époques de leurs vies. Chez Gabrielle Roy, le citadin semble incapable de retrouver le bonheur qu'il associe aux grands espaces, et par extension, à l'enfance. Toutefois, même les personnages qui évoluent essentiellement en décor naturel, comme Pierre et Elsa, par exemple, sont parfois condamnés à errer inlassablement, toujours en quête de quelque chose qui leur échappe. Pour les héroïnes de Laurence, le voyage constitue tantôt une évasion: Hagar Shipley et Stacey MacAindra; tantôt un moyen permettant au personnage de se reprendre en main: Rachel Cameron et Morag Gunn.

L'espace figure de manière déterminante dans tous les romans de Gabrielle Roy. Comme nous l'avons vu plus haut, les images les plus saisissantes de l'horizon et de la vastitude du décor manitobain, ainsi que le penchant de la romancière à unir les paysages aux états d'âme, remontent précisément à son enfance. Qu'il s'agisse de récits sur l'enfance (*Rue Deschambault, la Route d'Altamont, Ces enfants de ma vie*), de récits qui se déroulent en décor naturel (*la Petite Poule d'Eau, la Montagne secrète, la Rivière sans repos*) ou de *Bonheur d'occasion* et *Alexandre Chenevert* où l'espace vital des personnages est restreint et étouffant, la nature joue un rôle décisif dans les tentatives de libération des personnages, figurant même dans leurs rêves. Une vision idéalisée de la nature est souvent étroitement liée à une vision également idéalisée de l'enfance. L'innocence de l'enfance trouve son expression la plus parfaite dans la nature.

Chez Margaret Laurence, les récits sur l'enfance renferment de nombreux indices sur l'importance des prairies dans la vie de ses personnages. Le grand-père de Vanessa MacLeod incarne, à ses yeux, toutes les vertus et tous les défauts de l'environnement. D'autres personnages aussi sont fortement marqués par l'héritage des pionniers: que l'on songe à Hagar Shipley, femme indomptable, aussi indépendante que son père, Jason Currie. Les prairies font naître certaines valeurs chez des individus dont la vie se définit par la bataille acharnée qu'ils livrent à la nature. En revanche, ces valeurs sont moins manifestes chez Rachel Cameron et sa soeur Stacey qui, toutes deux, sont tout à fait intégrées au milieu urbain: l'univers de celle-là se limite presque exclusivement à Manawaka; celle-ci avoue ne pas connaître très bien Vancouver après y avoir vécu pendant vingt ans. Néanmoins, la nature représente pour elles un moyen d'évasion: elle figure souvent dans leurs rêves.

L'espace est un véritable canevas sur lequel se dessine toute l'oeuvre romanesque de Gabrielle Roy et de Margaret Laurence.

---

1 "Mon héritage du Manitoba", *FLT*, p. 156.

2 "*A Place to Stand On*", *Heart of a Stranger* (Toronto: McClelland & Stewart, 1976), p. 15.

3 R. Bourneuf et R. Ouellet, *L'Univers du roman* (Paris: PUF, 1975), p. 100.

4 *Trois essais de mythologie romantique* (Paris: Librairie José Corti, 1966), p. 143.

5 Jean-Charles Falardeau, *Imaginaire social et littérature* (Montréal: Hurtubise HMH, 1974), p. 95.

6 Northrop Frye, *The Bush Garden* (Toronto: Anansi, 1971), p. 10.
There would be nothing distinctive in Canadian culture at all if there were not some feeling for the immense searching distance, with the lines of communication extended to the absolute limit, which is a primary geographical fact about Canada and has no real counterpart elsewhere. The best paintings of Thomson and the Group of Seven have a horizon-focussed perspective, with a line of water or a break through the hills curving into the remotest background. In Emily Carr, too, the real focus of vision seems to be in the depth of the forest, behind the picture as it were. The same feeling for strained distance is in many Canadian poets and novelists...

7 Voir surtout le chapitre huit, "*The Bewildering Prairie: Recent Fiction*", pp. 111-36.

8 Voir "Gabrielle Roy et la prairie canadienne" de M. Primeau, pp. 115-28.

9 Dans *Contexts of Canadian Criticism*, Ed. Eli Mandel, pp. 254-66.

10 Marguerite A. Primeau, "Gabrielle Roy et la prairie canadienne", *Writers of the Prairies*, Ed. Donald G. Stephens (Vancouver: UBC Press, 1973), p. 115.

11 Laurence Ricou, *Vertical Man/Horizontal World* (Vancouver: UBC Press, 1973), p. 124. *...the curiosity to know oneself can in part be satisfied by knowing one's place. Particularly in la* Route d'Altamont *(1966) she recognizes man's distinctive position in the prairie...*

12 Donald G. Stephens, ed. *Writers of the Prairies, introduction*, p. 4.
...she moves beyond the concern for nature into the consideration of the lasting effects of environment on people. It is not what happens to people, but how it affects them that counts.... Though Margaret Laurence concentrates on people, the prairie emerges as an essential background to her portraits of them. The sensual appeal in the landscape is always felt....

13 Laurence Ricou, *op. cit.*, p. 118.
...the prairie landscape has shaped the themes of loneliness, the desire for freedom, and the agonizing lack of human contact.

14 Edward McCourt, *The Canadian West in Fiction* (Toronto: Ryerson, 1970), p. 109.
(Perhaps her intense sympathy for Africa and its people derives in part from her prairie upbringing, for on the prairies, too, wind and dust and immense distances are familiar elements).

15 "Mon héritage du Manitoba", *FLT*, p. 145. C'est nous qui soulignons.

16 "Souvenirs du Manitoba", *la Revue de Paris*, Paris, Février 1955, p. 83.

17 *Ibid.*, p. 79.

18 *Ibid.*, p. 83.

19 "Mon héritage du Manitoba", p. 158.

20 Marguerite Primeau, *op. cit.*, p. 116.

21 *RD*, "Ma coqueluche", pp. 83-84.

22 *Ibid.*, "Mon chapeau rose", p. 51.

23 *RA*, "Le déménagement", p. 185.

24 *RD*, "Les déserteuses", p. 113.

25 *RA*, "Le vieillard et l'enfant", p. 62.

26 *Ibid.*, p. 94.

27 *Ibid.*, p. 121.

28 *Ibid.*, "Le déménagement", p. 163.

29 *RD*, "Le Titanic", pp. 90-91. Voir aussi "Souvenirs du Manitoba", FLT, p. 79.

30 *RA*, "Ma grand-mère toute-puissante", p. 15.

31 *La Petite Poule d'Eau*, p. 19. Dans "Mémoire et création", préface d'une édition scolaire de cette oeuvre (reprise dans *FLT*), Gabrielle Roy nous rappelle que l'inspiration du récit lui est venu subitement lorsqu'elle parcourait la plaine de Beauce en France: "...ce fut en moi comme une sorte de douce et poétique nostalgie de cette île où je m'étais si fortement ennuyée" (p. 196). Chez une amie dans la forêt d'Epping en Angleterre, "un matin, je m'éveillai, connaissant tout à coup les gens que j'aurais aimé rencontrer là-bas. Ce furent les Tousignant" (p. 197). Comme Margaret Laurence, Gabrielle Roy porte partout en elle les paysages de son enfance et sa jeunesse.

32 *Ibid.*, p. 35.

33 *Ibid.*, pp. 72-73.

34 *Ibid.*, p. 104.

35 *Ibid.*, pp. 152-53.

36 *La Rivière sans repos*, p. 15.

37 *Ibid.*, p. 27.

38 *Ibid.*, p. 92.

39 *Ibid.*, p. 98, p. 101.

40 *Ibid.*, p. 117.

41 *La Montagne secrète*, p. 12.

42 *Ibid.*, p. 61.

43 *Ibid.*, p. 89.

44 *Ibid.*, p. 187.

45 Gabrielle Roy, "Témoignages des romanciers canadiens-français", *Archives des lettres canadiennes-françaises, Tome 3, Le Roman canadien-français*, p. 341.

46 *RA*, "Le vieillard et l'enfant", p. 106.

47 *Alexandre Chenevert*, p. 191.

48 *Ibid.*, p. 202.

49 *Ibid.*, p. 206.

50 *Ibid.*, p. 257.

51 *Ibid.*, p. 258.

52 *Ibid.*, p. 259.

53 *La Rivière sans repos*, p. 205.

54 *Ces enfants de ma vie*, p. 94.

55 *Ibid.*, p. 106.

56 *Ibid.*, p. 102.

57 *Ibid.*, p. 104.

58 *Ibid.*, p. 137.

59 *Ibid.*, p. 208.

60 *Ibid.*, p. 211.

61 *Ibid.*, pp. 94-95.

62 *Ibid.*, p. 123.

63 *Ibid.*, p. 131.

64 *CEV*, p. 188.

65 *Ibid.*, p. 209.

66 *Bonheur d'occasion*, p. 192.

67 *La Montagne secrète*, p. 186.

68 *BO*, p. 386.

69 *AC*, p. 105.

70 BH, "*The Mask of the Bear*", p. 74.
Le masque était bizarre. Les traits étaient laids et pourtant évocateurs. Les lèvres rabattues exprimaient une rage morne. À la place des yeux se trouvaient deux cavernes vides. Malgré cela, tandis que je les regardais, ils semblaient attirer mes propres yeux de sorte qu'il m'arrive d'imaginer que se trouve dans cette noirceur un regard qui m'était familier, un trouble caché. C'est alors que je me suis rappelé qu'avant de devenir objet de curiosité dans un musée, le masque avait dissimulé un homme.

71 *BH*, "*The Loons*", p. 100.
À cette époque-là je lisais assidûment les poèmes de Pauline Johnson, et déclamais parfois à haute voix, avec exaltation: *Vent de l'Ouest, souffle depuis ton nid dans les prairies; Souffle depuis les montagnes, souffle depuis l'ouest* —et ainsi de suite. Il me semblait que Piquette devait être une fille de la forêt en quelque sorte, une manière d'apprentie-prophétesse de la nature qui partagerait avec moi quelques-uns de ses secrets si je m'y prenais comme il fallait....

72 *BH*, "*Horses of the Night*", p. 127.
Il avait vingt et un ans. La distance entre nous demeurait encore énorme. Depuis longtemps, j'aurais aimé être plus âgée que je ne l'étais afin de pouvoir discuter avec lui, mais à présent je ne me sentais pas prête à le faire.

73 Edward McCourt, *The Canadian West in Fiction*, p. 115.
Hagar Shipley is in many ways the product of a pioneer community, her fierce independence, her resourcefulness, her love of the wide earth and the empty sky are obvious manifestations of a distinctive and unsophisticated environmental influence.

74 *The Stone Angel*, pp. 2-3.
Pendant l'été le cimetière débordait du parfum des pivoines (qui rappelait un salon funéraire). Elles étaient pourpres ou rose bonbon, et leurs tiges ployaient sous leur propre poids et celui de la pluie. Elles étaient infestées de fourmis qui se promenaient nonchalamment entre les pétales de soie.
Parfois l'odeur des primevères s'imposait momentanément, emportée par le souffle chaud du vent irrespectueux qui secouait les vieux chênes et les herbes folles qui empiétaient sur les tombes bien tenues. Ces fleurs sauvages et criardes étaient tenaces, et bien que les survivants s'obstinassent à les arracher pour maintenir le bon ordre qu'ils imposaient autour des tombes, le promeneur était parfois surpris de sentir leur parfum, humble, musqué, poussiéreux. Bien avant les pivoines et les anges de pierre, lorsque la prairie n'était traversée que par les Cris aux visages énigmatiques et aux cheveux gras, les primevères poussaient partout à l'était sauvage.
Voir aussi les Anglais dans les écrits africains de Laurence, dont certains cherchent à tout prix à faire disparaître la flore locale dans leurs jardins à la faveur de roses anglaises et autres fleurs "civilisées". Par exemple, dans "*the Rain Child*", *TT*, p. 112: "*Hilda Povey grows zinnias and nasturtiums, and spends hours trying to coax an exiled rosebush into bloom...*"

75 *A Jest of God*, pp. 21-22.
— Une forêt. Cette nuit il s'agit d'une forêt. Parfois, d'une plage. Le lieu doit être éloigné de tout. Autrement on la verrait. Les arbres forment des murs verts, grands et protecteurs, les branches des pins et des mézèles descendant majestueusement jusqu'au sol, créant ainsi mille chambres parmi les feuilles mortes.

76 *JG*, p. 105.
Il y a des monticules partout dans le pâturage, des trous de chiens de prairie et des pierres pour nous faire trébucher. L'herbe sauvage, clairsemée et rêche, est courte, à part quelques touffes çà et là. En revanche, au bord de la rivière elle est plus abondante et plus verte. Les branches souples des saules se courbent et touchent presque l'eau ambre de la Wachakwa, qui court rapidement dans son lit de cailloux.

77 *Ibid.*, p. 245.
Nous regardions les lumières du village jusqu'à ce qu'elles ne nous soient plus visibles. À présent, seules les lumières de cuisines dans les maisons de fermiers et les étoiles nous guident à travers la nuit. L'autobus vole sur son chemin, sans heurts et confiant, tel un énorme hibou dans la noirceur...

78 *The Fire-Dwellers*, p. 154.
Le lac est petit, mais le jour il est d'un bleu très foncé. Il se trouve quelque part au nord, dans la région que l'on appelle le Caribou. Là-haut. Quelque part. Les granges sont construites de billots (elle le sait; c'est Mac qui le lui a dit et il y a été). Elle n'a qu'une chaloupe, qu'elle manoeuvre bien, adroitement même; Ian et Duncan savent s'en servir aussi. Une vieille grange en billots bien étanches, à l'épreuve des intempéries, leur sert de maison.

79 Voir "*Christie's Tale of Piper Gunn and the Long March*", *DIV*, (pp. 83-86); "*Skinner's Tale of Lazarus' Tale of Rider Tonnerre*" (pp. 144-46), "*Skinner's Tale of Old Jules and the War Out West*" (pp. 147-49); *Jules' songs* (pp. 426, 427-28, 429, 440-41); les dialogues imaginaires entre Morag et Catharine Parr Traill (pp. 95-97, 170-71); "*Morag's Tale of Christie Logan*" (pp. 367-68); "*Morag's Tale of Lazarus Tonnerre*" (pp. 368-69).

80 *RA*, "La route d'Altamont", p. 242.

81 Voir Donald Cameron, *Conversations with Canadian Novelists* (Toronto: Macmillan, 1973), 2:143.

CONCLUSION

GABRIELLE ROY ET MARGARET LAURENCE: DEUX CHEMINS, UNE RECHERCHE

> Ils [mes personnages] sont apparus en moi sans que j'aie eu à faire un geste, un acte de volonté. Je les ai aperçus qui, déjà vivants, s'agitaient comme l'eau sous le soleil. Je n'ai eu qu'à suivre, qu'à laisser couler le récit qui sourdait en moi. Car, j'en suis convaincue, chez l'écrivain, chez l'artiste, l'inconscient a plus de part à la création que le conscient. Infiniment.
>
> Gabrielle Roy[1]

> *I think sometimes that the whole process of invention, or of getting to know a character, almost takes place at a subconscious level. If you've got a particular character in mind, once you really start thinking about it or even when you're not consciously thinking of it, various things that happen to you, or that you read, or that you perceive, or overhear in people's conversations, and so on, are all mentally channelled into that area. Characters can be years in my mind, and usually are, before I really start writing about them.*
>
> Margaret Laurence[2]

Cette étude de l'oeuvre romanesque de Gabrielle Roy et de Margaret Laurence est une entreprise à la fois hasardeuse et passionnante en raison de sa nouveauté, la littérature comparée canadienne, ou plus précisément les littératures comparées québécoise et canadienne, constituant un domaine toujours à ses débuts, toujours à la recherche de soi-même et en quête des instruments de travail de base.

Les problèmes auxquels doit faire face le chercheur désirant étudier l'évolution de l'oeuvre romanesque de deux écrivains représentatifs de l'une et l'autre cultures sont de taille: comment replacer le comparatisme québéco-canadien dans un contexte international lorsque le domaine est encore si mal défini? Comment s'appuyer sur les recherches, méthodes et principes déjà énoncés par d'autres comparatistes, sans pouvoir déterminer d'emblée leur pertinence par rapport à la spécificité des littératures québécoise et canadienne, dont l'autonomie remonte à il y a à peine trente ou quarante ans? En ce qui concerne le roman, ainsi que d'autres genres littéraires, c'est seulement depuis la Deuxième Guerre mondiale que certaines mutations d'ordre socio-politique et esthétique ont permis au roman, tant au Québec qu'au Canada anglais, de devenir le reflet authentique des deux collectivités dont il est parfois une puissante évocation. De plus en plus enraciné au sein des sociétés québécoise et canadienne, le roman d'ici est somme toute relativement nouveau.

Cela dit, comment élaborer une étude comparative "intranationale" et non "internationale[3]" lorsque les deux littératures en question, malgré leur proximité physique, évoluent dans une solitude peu troublée par la curiosité de l'Autre. L'ignorance, doublée parfois d'une indifférence flagrante de part et d'autre, a contribué effectivement à l'absence d'études même sommaires des deux littératures; le cercle vicieux se perpétue *ad infinitum*, car l'absence d'instruments de travail contribue largement à maintenir l'indifférence déjà soulignée. Le problème de la sensibilisation à l'impérieuse nécessité de combler au moins quelques-unes des lacunes relevées depuis une dizaine d'années dans le domaine est énorme. Dans *l'Âge de la littérature canadienne*, publié en 1969, Clément Moisan a constaté que tout était à faire, à commencer par "la simple chronologie comparée[4]". Or voici que dix ans plus tard la même litanie se fait entendre à travers un recueil d'articles publié par *la Revue canadienne de littérature comparée*[5]. Comment se tirer d'embarras?

Nous n'avons guère la prétention d'avoir inventé une méthode comparative en élaborant notre étude; tout au plus, en tenant compte de toutes les questions soulevées en cours de route, en définissant bien le domaine de l'analyse (le roman) et la dimension à examiner de près (les personnages comme indices de la vision sociale de Gabrielle Roy et de Margaret Laurence), nous croyons pouvoir proposer néanmoins une approche que l'on pourrait éventuellement appliquer à d'autres oeuvres romanesques.

L'intérêt que nous portons à l'oeuvre romanesque de Roy et de Laurence ne découle pas d'une simple intuition de correspondances entre deux univers romanesques solidement ancrés dans deux traditions littéraires à la fois semblables et dissemblables, les mêmes facteurs qui les rapprochent, l'histoire et la géographie, servant aussi à les différencier l'une de l'autre. Nous ne cherchons pas non plus à montrer que Roy et Laurence font partie toutes deux d'un seul milieu littéraire, bien au contraire. Toutefois, sans vouloir tomber dans le piège de l'étude purement anecdotique ou biographique, nous avons relevé un certain nombre de correspondances significatives dans le cheminement des deux romancières: l'enfance au Manitoba, le goût commun de l'écriture comme moyen de découverte de soi et de communication avec autrui, ou encore l'exil physique et psychique de ce que Mandel appelle le *premier* lieu. Ce faisant, nous avons trouvé de nombreuses expériences marquantes qui ne pouvaient qu'influer de manière décisive sur les deux romancières au moment où débutait chez l'une ou l'autre l'oeuvre romanesque. Leur vision sociale, et la façon dont leurs personnages en témoignent, sont étroitement liées aux principales étapes du cheminement dont nous avons parlé plus haut.

Gabrielle Roy et Margaret Laurence figurent incontestablement parmi les écrivains les plus représentatifs des lettres québécoises et canadiennes: l'appartenance de chacune à une tradition et une culture littéraires distinctes ne fait aucun doute. L'évolution de leur oeuvre depuis qu'elles ont quitté leur Manitoba natal peut de prime abord sembler n'indiquer que divergences et disparités. Gabrielle Roy est fixée au Québec depuis la Deuxième Guerre mondiale; Margaret Laurence a séjourné pendant longtemps en Afrique et en Angleterre avant d'élire domicile en Ontario. Un examen superficiel de l'oeuvre romanesque ne révélerait que peu de correspondances si l'on se fiait purement et simplement à la chronologie ou à une étude thématique.

En revanche, en faisant des personnages le champ privilégié de notre étude (en raison de leur importance primordiale dans l'optique des deux romancières), et en remontant aux sources, pour ainsi dire, nous constatons un nombre significatif de correspondances au niveau des personnages, ainsi que des *types* de personnages chez Roy et Laurence. Ces correspondances en confirment d'autres, de nature plutôt secondaire, il est vrai, relevées au début de cette étude.

Quelles sortes de personnages peuplent l'univers romanesque de Roy et de Laurence? D'abord, prépondérance des mères de famille, dont les soucis, l'angoisse existentielle et les aspirations se ressemblent beaucoup, d'une oeuvre à l'autre. Bien que Rose-Anna Lacasse et Stacey MacAindra soient séparées l'une de l'autre par le temps et l'espace, et que leurs milieux soient foncièrement opposés, leur condition de femmes et mères sont analogues. L'île éloignée qu'habite Luzina Tousignant n'a que très peu de choses à voir avec la maison qui constitue l'univers de May Cameron, mais au-delà des simples apparences, nous trouvons une volonté chez l'une et l'autre de retenir leurs enfants auprès d'elles. Chez d'autres personnages féminins de premier plan, nous trouvons également des soucis et des problèmes analogues: chez Florentine Lacasse et Rachel Cameron, nous constatons les mêmes difficultés d'être et de vivre.

Toutes les femmes dans l'oeuvre romanesque de Roy et de Laurence (rappelons que la quasi-totalité des personnages de premier plan sont des femmes) sont marginales. Toutefois, nous trouvons d'autres personnages marginalisés ou dépossédés, pour diverses raisons. Que l'on songe à Alexandre Chenevert et Hagar Shipley: l'incapacité de communiquer efficacement de celui-là, et l'immense orgueil de celle-ci, qui est en soi une entrave à la communication parfois, les isolent et les éloignent d'autrui. Pierre Cadorai et Morag Gunn connaissent aussi la solitude, qui découle en partie de leurs quêtes personnelle et artistique, entreprise solitaire par excellence. Toutefois, chez l'artiste il existe la possibilité de communiquer à travers ce véhicule privilégié qu'est l'art. Enfin, chez Roy et Laurence, nous trouvons des personnages doublement ou même triplement marginalisés, à savoir, les Esquimaux et les Indiens. Elsa Kumachuk vit une marginalité multiple, tout comme les Tonnerre: elle est mère, dépossédée, parce qu'étant aliénée de sa propre culture, donc, marginale à l'intérieur d'une civilisation déjà marginalisée, l'esquimaude. Les Tonnerre sont marginaux à plusieurs niveaux: ils sont éloignés de leurs origines et de leur culture indiennes, par le temps, et par les mélanges de sang qui sont survenus dans le passé; étant Métis, ils sont condamnés à vivre en marge de la société bien-pensante de Manawaka. La réintégration d'Elsa à la communauté esquimaude est vouée à l'échec; la reprise en main des Métis par eux-mêmes est toujours possible.

La force, le courage, l'originalité et la solitude fondamentale des personnages féminins de Roy et de Laurence nous font mieux saisir l'effacement relatif des personnages masculins qui sont présents, ou plutôt absents, autour d'elles. Bien qu'il ne soit pas de notre propos d'étudier le personnage masculin dans l'oeuvre romanesque de Roy et de Laurence, nous nous devons d'en parler, même accessoirement, en raison de son influence indéniable sur le comportement des personnages féminins. Ceux-ci sont ce qu'ils sont parce qu'ils doivent se débrouiller plus ou moins seuls dans la vie, se définissant même par opposition aux protagonistes masculins, parfois.

Peu ou point de félicité conjugale, point de couples harmonieux, épanouis en tant qu'individus et en tant que composantes d'une structure sociale fondamentale, ou égalitaires. Souvent, au contraire, le ménage est constitué d'absences, de silences, de regrets et de remords. L'amour, élément indispensable dans l'épanouissement de l'individu, ne semble avoir que rarement droit de cité dans l'optique de Roy et de Laurence. Que de parents repliés sur eux-mêmes, peu démonstratifs, incapables de dispenser la moindre affection aux leurs, rongés de remords devant leur incapacité de communiquer efficacement avec leurs époux et enfants, incapables aussi d'agir efficacement pour secourir ces derniers, pour les protéger des malheurs dont ils sont eux-mêmes victimes. Que d'enfants profondément marqués par les réticences de leurs parents. Un peu partout, nous constatons la soif inassouvissable de bonheur qui aboutit à toute une kyrielle d'amères déceptions, de frustrations, de reproches, de regrets.

Partout dans l'oeuvre romanesque de Roy et de Laurence, l'amour paraît d'une extrême fragilité, sans cesse menacé. La plupart du temps, c'est justement la mère qui le dispense, tant bien que mal, devrions-nous préciser, sans pour autant toujours être payée de retour.

Il faut remonter aux oeuvres sur l'enfance pour trouver, chez Éveline et Christine, une mère et une fille entre qui existent une certaine harmonie, voire une profonde amitié; ailleurs, les mères et les filles sont plus souvent ennemies qu'amies. Christine est profondément marquée par la vie, les aspirations et les déceptions de sa propre mère; cette sensibilité l'amène certes à une plus grande compréhension, doublée d'une affection approfondie, envers elle; d'ailleurs, Éveline qualifie sa propre mère d'admirable. Ailleurs, les filles finissent par mépriser leurs mères, tout en répétant leurs erreurs, de sorte qu'elles leur ressemblent fatalement.

Chez Margaret Laurence, les liens entre mères et filles sont également difficiles: dans l'univers de Vanessa MacLeod, ils sont presque passés sous silence. Rachel et Stacey Cameron sont grandement marquées par leurs rapports avec May Cameron, pour qui tous les devoirs conjugaux sont un supplice; inutile de chercher plus loin l'explication de l'insatisfaction ultérieure de Stacey dont l'univers est circonscrit par l'orbite maternelle, ni non plus celle de l'épanouissement tardif de sa soeur Rachel. L'empreinte maternelle est forte et souvent ineffaçable. Prin Logan, la mère adoptive de Morag Gunn, passe la plus grande partie de sa vie conjugale à végéter, à s'enfermer dans un monde onirique de plus en plus inaccessible à tous. Morag sera plus tard déchirée par le désir de mener une carrière d'écrivain tout en élevant son enfant; elle non plus ne connaîtra pas une vie conjugale stable et heureuse; au contraire, elle se débrouille seule dans la vie. Sa fille, Pique, est le fruit d'une liaison passagère avec Jules Tonnerre; comme Jimmy Kumachuk, c'est l'enfant du désir et non du devoir. Jules ne la secondera nullement, ni matériellement, ni spirituellement par la suite; Morag ne le reverra qu'à intervalles irréguliers.

L'image de la femme, de la mère, du couple, de la famille chez Gabrielle Roy et Margaret Laurence est donc souvent très sombre. Point de héros, d'héroïnes, point d'étres symboliques, exception faite, dans une certaine mesure, de Pierre Cadorai, investis de qualités morales supérieures. Toutefois, pour humbles ou malheureux qu'ils soient, tous les personnages de Roy et de Laurence sont bien dessinés, nuancés, parfois complexes (Alexandre Chenevert et Hagar Shipley figurent certes parmi ceux-ci), et tous profondément humains. La vision sociale des deux romancières n'est nulle part entachée de dérision ou de condescendance.

Dans deux entrevues séparées avec Donald Cameron, Roy et Laurence reconnaissent spontanément leur perception foncièrement tragique de la vie humaine. Selon Gabrielle Roy, "au fond, l'écrivain engendre tous ses personnages, donc, il est tous ses personnages lui-même, et encore davantage.... Toute vie est une tragédie, et celle de l'écrivain l'est encore davantage parce que plus il voit la vie, plus il la comprend et l'éprouve en profondeur, et moins il a de temps pour l'écrire[5]". Margaret Laurence abonde dans le même sens lorsqu'elle affirme: "Je crois que les êtres humains communiquent entre eux beaucoup moins qu'ils devraient le faire: l'isolement et la solitude qui en résultent, et qui sont universels, font partie de la tragédie de la vie. L'un des principaux thèmes de mon oeuvre est certes l'isolement qui sépare les uns des autres, et le caractère foncièrement tragique de cet isolement[6]".

Chez Roy et Laurence, la nécessité de s'aimer, d'entretenir la fraternité humaine se fait sentir à maintes reprises chez tous les personnages, mais certains, comme Rose-Anna, Alexandre ou Hagar, sont incapables d'atteindre cet état de grâce, parce qu'étant trop renfermés, trop orgueilleux ou trop malheureux[7].

Nous avons remarqué, en étudiant les textes journalistiques de Roy et les écrits africains de Laurence, un certain optimisme qui trouvait souvent son écho dans leurs premiers écrits. Au fur et à mesure que s'élabore l'oeuvre romanesque, toutefois, cet optimisme fera place petit à petit au pessimisme, parfois modéré, parfois aigu: c'est précisément en étudiant les personnages des deux romancières que nous nous en rendons compte.

Comme Christine, Gabrielle Roy et Margaret Laurence sont en quelque sorte acteurs et témoins dans leur oeuvre romanesque. Si nous retraçons les étapes de notre étude en sens inverse, nous saisissons mieux le rôle primordial que jouent l'enfance et l'univers manitobain dans l'oeuvre des deux romancières. Certains personnages, dans l'univers enfantin de Gabrielle Roy/Christine et de Margaret Laurence/Vanessa, ont joué un rôle déterminant dans la vie de l'une et de l'autre; nous les retrouvons, parfois à peine dissimulés, dans l'oeuvre romanesque. De là il ne faut pas nécessairement conclure que l'oeuvre est autobiographique: plutôt, comme l'a précisé Margaret Laurence, il s'agit d'investir leurs personnages de certaines de leurs propres attitudes et de leur conception de la vie humaine[8].

Si nous devions caractériser très schématiquement la vision sociale de Roy et de Laurence, il faudrait parler avant tout de leur compassion, de leur attachement profond aux personnages auxquels elles ont donné vie, et de leur refus de les condamner, quelles que soient leurs faiblesses. Parties toutes deux de leur lointain Manitoba, Roy et Laurence se sont exilées afin de se découvrir en tant qu'individus et écrivains: depuis leur enfance et jusqu'à présent, elles se sont toujours intéressées à tout ce qui les entoure: leur oeuvre romanesque, et en particulier, leurs personnages, témoignent éloquemment de l'attention particulière qu'elles portent à la vie humaine.

Notre étude comparative en appelle d'autres. Elle a sans doute soulevé plus de questions qu'elle n'en a résolu. Nous n'avons guère abordé les différences de style, d'écriture, dans notre étude, et pourtant, la stylistique comparative nous semble un domaine très prometteur dans l'optique d'éventuelles études comparatives québéco-canadiennes. Nous avons mentionné que ni Roy ni Laurence n'ont révolutionné le genre romanesque au Québec et au Canada, mais nous limiter à cette constatation assez rudimentaire ne rend pas du tout justice à l'efficacité et à l'originalité même de leurs oeuvres.

Le fait que les deux littératures dont nous parlons sont écrites en deux langues différentes fait surgir le problème à la fois culturel et linguistique des traductions. L'oeuvre de Gabrielle Roy a été systématiquement traduite et éditée au Canada anglais par McClelland & Stewart. Jusqu'à présent, quatre traducteurs, à savoir Hannah Josephson, Harry Lorne Binsse, Joyce Marshall et Alan Brown, ont traduit treize volumes de Roy en anglais. Gabrielle Roy est universellement reconnue, grâce aux traductions en anglais et en d'autres langues; comme nous l'avons déjà remarqué, elle a sûrement exercé une certaine influence au Canada anglais, comme en fait foi la tendance de certains critiques à la considérer comme un écrivain "canadien". Margaret Laurence est aussi un écrivain dont la réputation internationale n'est plus à faire, mais son sort auprès des lecteurs de langue française n'est guère reluisant. Seulement quatre de ses oeuvres ont été traduites en français, et ce par trois traducteurs différents: Claire Martin, Rosine Fitzgerald et Michelle Robinson. Le décalage entre la parution de *The Stone Angel* et *l'Ange de pierre* est de douze ans; celui entre *The Diviners* et *Les Oracles*, de cinq ans; entre *The Fire-Dwellers* et *Ta maison est en feu*, de deux ans; entre *A Jest of God* et *Un Dieu farceur*, de quinze ans. En revanche, à peine certaines oeuvres de Gabrielle Roy sont-elles publiées, que la traduction anglaise paraît aussitôt après. Bien que nous traduisions nous-mêmes certains textes dans le cadre de cette étude, nous nous sommes rendu compte d'une inégalité assez sensible dans la qualité des différentes traductions de Roy et de Laurence, et cette question est d'une pertinence indéniable dans l'optique des futures études comparatives.

En essayant de préciser l'articulation d'une pensée sociale telle que révélée par les personnages de Gabrielle Roy et de Margaret Laurence, nous croyons avoir apporté au moins un début de réponse aux questions que nous nous sommes posées. Nous ne prétendons nullement avoir épuisé le sujet, loin de là: étant donné l'importance capitale de Roy et de Laurence dans l'ensemble des lettres québécoises et canadiennes, leurs oeuvres méritent de faire encore l'objet de nombreuses études. Si nous ne réclamons pas le dernier mot dans la discussion, nous espérons du moins amorcer, par la présente étude, certaines perspectives pour l'avenir.

---

1 Ringuet, "Conversation avec Gabrielle Roy", *la Revue populaire*, 44° année, no 10, Octobre 1951, p. 4.

2 Donald Cameron, *Conversations with Canadian Novelists* (Toronto: Macmillan, 1973), 1:109.

3 Voir Philip Stratford, "*Canada's Two Literatures: A Search for Emblems*", *Canadian Review of Comparative Literature/Revue canadienne de littérature comparée*, Spring/Printemps 1979, p. 131.

4 *L'Âge de la littérature canadienne* (Montréal: HMH, 1969), p. 23.

5 *CRCL/RCLC*, Spring/Printemps 1979.

6 Donald Cameron, *Conversations with Canadian Novelists*, 2:133.
Fundamentally I suppose a writer gives birth to all his characters, so therefore he is all of them in himself, plus something else... Every life is a tragedy, but far more the writer's life, because the more he has to see, the more deeply he understands and feels about life, the less time he has to put it down.

7 *Id.*, 1:105. ***It's partly that I feel that human beings ought to be able,*** **ought** ***to be able to communicate and touch each other far more than they do, and this human loneliness and isolation, which obviously occurs everywhere, seems to me to be part of man's tragedy. I'm sure one of the main themes in all my writings in [sic] this sense of man's isolation from his fellows and how almost unbearably tragic this is.***

8 Voir Paul Socken, "Le pays de l'amour *in the works of* Gabrielle Roy", *La Revue de l'Université d'Ottawa*, 46, no 3 (Juillet-septembre 1976), 309-323.

9 Cameron, *op. cit.*, 1:106.

BIBLIOGRAPHIE

Les oeuvres de Gabrielle Roy et de Margaret Laurence sont disposées par ordre chronologique, selon le genre. L'année de la première édition de chaque oeuvre est indiquée entre parenthèses.

I. GABRIELLE ROY

ROMANS ET RÉCITS

Bonheur d'occasion. Montréal: Éditions internationales Alain Stanké, 1977. (1945)

La Petite Poule d'Eau. Montréal: Éditions internationales Alain Stanké, 1980. (1950)

Alexandre Chenevert. Montréal: Éditions internationales Alain Stanké, 1979. (1954)

Rue Deschambault. Montréal: Éditions internationales Alain Stanké, 1980. (1955)

La Montagne secrète. Montréal: Éditions internationales Alain Stanké, 1978. (1961)

La Route d'Altamont. Montréal: Éditions HMH, 1966.

La Rivière sans repos. Montréal: Éditions internationales Alain Stanké, 1979. (1970)

Cet été qui chantait. Montréal: Éditions internationales Alain Stanké, 1979. (1972)

Un Jardin au bout du monde. Montréal: Beauchemin, 1975.

Ces enfants de ma vie. Montréal: Éditions internationales Alain Stanké, 1977.

Fragiles lumières de la terre. Montréal: Éditions internationales Alain Stanké, 1982. (1978)

ESSAIS

Le thème raconté par Gabrielle Roy, dans *Terre des Hommes.* Montréal et Toronto: Cie canadienne de l'Exposition universelle, 1967, 21-60.

LIVRES POUR ENFANTS

Ma Vache Bossie. Montréal: Leméac, 1976.

Courte-Queue. Montréal: Éditions internationales Alain Stanké, 1979.

OEUVRES TRADUITES EN ANGLAIS

Bonheur d'occasion. Trans. Hannah Josephson. *The Tin Flute.*
Toronto: McClelland & Stewart (NCL no. 5), 1969.
Trans. Alan Brown. *The Tin Flute.*
Toronto: McClelland & Stewart, 1980.

La Petite Poule d'Eau. Trans. Harry Lorne Binsse. *Where Nests the Water Hen*. Toronto: McClelland & Stewart (NCL no. 25), 1970.

Alexandre Chenevert. Trans. Harry Lorne Binsse. *The Cashier*. Toronto: McClelland & Stewart (NCL no. 40), 1970.

Rue Deschambault. Trans. Harry Lorne Binsse. *Street of Riches*. Toronto: McClelland & Stewart (NCL no. 56), 1967.

La Montagne secrète. Trans. Harry Lorne Binsse. *The Hidden Mountain*. Toronto: McClelland & Stewart (NCL no. 109), 1975.

La Rivière sans repos. Trans. Joyce Marshall. *Windflower*. Toronto: McClelland & Stewart (NCL no. 120), 1975.

La Route d'Altamont. Trans. Joyce Marshall. *The Road Past Altamont*. Toronto: McClelland & Stewart (NCL no. 129), 1976.

Cet été qui chantait. Trans. Joyce Marshall. *Enchanted Summer*. Toronto: McClelland & Stewart, 1976.

Un Jardin au bout du monde. Trans. Alan Brown. *Garden in the Wind*. Toronto: McClelland & Stewart, 1977.

Ces enfants de ma vie. Trans. Alan Brown. *Children of My Heart*. Toronto: McClelland & Stewart, 1979.

Fragiles lumières de la terre. Trans. Alan Brown. *The Fragile Lights of Earth*. Toronto: McClelland & Stewart, 1982.

Courte-Queue. Trans. Alan Brown. *Cliptail*. Toronto: McClelland & Stewart, 1980.

II. MARGARET LAURENCE

ROMANS ET RÉCITS

This Side Jordan. Toronto: McClelland & Stewart (NCL no. 126), 1976. (1960)

The Tomorrow-Tamer. Toronto: McClelland & Stewart (NCL no. 70), 1970. (1963)

The Stone Angel. Toronto: McClelland & Stewart-Bantam, 1978. (1964)

A Jest of God. Toronto: McClelland & Stewart-Bantam, 1977. (1966)

The Fire-Dwellers. Toronto: McClelland & Stewart-Bantam, 1978. (1969)

A Bird in the House. Toronto: McClelland & Stewart-Bantam, 1978. (1970)

The Diviners. Toronto: McClelland & Stewart (NCL no. 146), 1978. (1974)

ESSAIS

Heart of a Stranger. Toronto: McClelland & Stewart, 1976.

CRITIQUE LITTÉRAIRE

Long Drums and Cannons. Toronto: Macmillan, 1968.

TRADUCTIONS

A Tree for Poverty. Hamilton: McMaster University, 1970. (1954)

LIVRES POUR ENFANTS

Jason's Quest. Toronto: McClelland & Stewart, 1970.

The Olden Days Coat. Toronto: McClelland & Stewart, 1979.

Six Darn Cows. Toronto: James Lorimer & Company, 1979.

The Christmas Birthday Story. Toronto: McClelland & Stewart, 1980.

CHRONIQUES DE VOYAGE

The Prophet's Camel Bell. Toronto: McClelland & Stewart, 1965. (1963)

OEUVRES TRADUITES EN FRANÇAIS

The Fire-Dwellers. Trad. de l'anglais par Rosine Fitzgerald. *Ta maison est en feu*. Montréal: HMH, 1971.

The Stone Angel. Trad. de l'anglais par Claire Martin. *L'Ange de pierre*. Ottawa: le Cercle du Livre de France, 1976.

The Diviners. Trad. de l'anglais par Michelle Robinson. *Les Oracles*. Montréal: le Cercle du Livre de France, 1979.

A Jest of God. Trad. de l'anglais par Michelle Robinson. *Un Dieu farceur*. Montréal: le Cercle du Livre de France, 1981.

III. OUVRAGES SUR GABRIELLE ROY

Bessette, Gérard. *Trois romanciers québécois*. Montréal: Éditions du Jour, 1973, pp. 181-201.

Cameron, Donald. *Conversations with Canadian Novelists*. 2 volumes. Toronto: Macmillan, 1973. 2:128-145.

Charland, R.-M. et J.-N. Samson. *Gabrielle Roy* (coll. "Dossiers de documentation sur la littérature canadienne-française"). Montréal: Fides, 1967.

Gagné, Marc. *Visages de Gabrielle Roy*. Montréal: Beauchemin, 1973.

Genuist, Monique. *La Création romanesque chez Gabrielle Roy*. Ottawa: le Cercle du Livre de France, 1966.

Grosskurth, Phyllis. *Gabrielle Roy* (coll. "*Canadian Writers and Their Works*"). Toronto: Forum House, 1972.

Hind-Smith, Joan. *Three Voices* (coll. "*Canadian Portraits*"). Toronto: Clarke, Irwin & Company, 1975, pp. 63-128.

Lemonde, Anne. "Le personnage masculin dans l'oeuvre romanesque de Gabrielle Roy". Thèse de Maîtrise, Université McGill, 1976.

Ricard, François. *Gabrielle Roy* (coll. "Écrivains canadiens d'aujourd'hui"). Montréal: Fides, 1975.

Saint-Pierre, Annette. *Gabrielle Roy sous le signe du rêve*. Saint-Boniface: les Éditions du Blé, 1975.

IV. OUVRAGES SUR MARGARET LAURENCE

Cameron, Donald. *Conversations with Canadian Novelists*. 2 volumes. Toronto: Macmillan, 1973. 1:96-115.

Gibson, Graeme. *Eleven Canadian Novelists*. Toronto: Anansi, 1973. pp. 181-208.

Hind-Smith, Joan. *Three Voices* (coll. "*Canadian Portraits*"). Toronto: Clarke, Irwin & Company, 1975, pp. 1-62.

Kroetsch, Robert, ed. *Creation*. Toronto: New Press, 1970.

New, William H., ed. *Margaret Laurence*. Toronto: McGraw-Hill Ryerson, 1977.

Sokolowski, Thelma Karen. "*The Theme of Exile in the Fiction of Margaret Laurence*". Diss. University of Alberta 1972.

Thomas, Clara. *The Manawaka World of Margaret Laurence*. Toronto: McClelland & Stewart, 1975.

———————. *Margaret Laurence* (coll. "*Canadian Writers*"). Toronto: McClelland & Stewart, 1969.

V. ARTICLES SUR GABRIELLE ROY (CHOIX)[1]

Blais, Jacques. "L'Unité organique de *Bonheur d'occasion*". *Études françaises*, 6, no 1 (Février 1970), 25-50.

Brochu, André. "Thèmes et structures de *Bonheur d'occasion*". *Écrits du Canada français*, 22 (1966), 163-208.

Brown, Alan. "*Gabrielle Roy and the Temporary Provincial*". *The Tamarack Review*, 1 (Autumn 1956), 61-70.

Falardeau, Jean-Charles. "Les milieux sociaux dans le roman canadien-français contemporain". *Littérature et société canadiennes-françaises*, 2° colloque de *Recherches sociographiques*, 1974, 123-144.

Gagné, Marc. "*La Rivière sans repos* de Gabrielle Roy: étude mythocritique incluant *Voyage en Ungava* par Gabrielle Roy". *La Revue de l'Université d'Ottawa*, 46, no 1 (Janvier-mars 1976), 82-107 (première partie); 46, no 2 (Avril-juin 1976), 180-199 (deuxième partie); 46, no 3 (Juillet-septembre 1976), 364-390 (troisième partie).

Gaulin, Michel. "*La Rivière sans repos* de Gabrielle Roy". *Livres et auteurs québécois*, 1970, 27-28.

Godbout, Jacques. "Entre l'Académie et l'écurie". *Liberté*, 16, no 3 (Mai-juin 1976), 16-33.

Hess, M.G. "Le portrait de l'enfance et de jeunesse dans l'oeuvre de Gabrielle Roy". *L'Action nationale*, 62, no 6 (Février 1973), 496-512.

Le Grand, Albert. "Gabrielle Roy ou l'être partagé". *Études françaises*, 1, no 2 (Juin 1965), 39-65.

McPherson, Hugo. "*The Garden and the Cage: The Achievement of Gabrielle Roy*". *Canadian Litterature*, No. 1 (Summer 1959), 46-57.

Mitcham, Allison. "*The Canadian Matriarch: a Study in Contemporary French and English-Canadian Fiction*". *La Revue de l'Université de Moncton*, 7° année, no 1 (Janvier 1974), 37-52.

O'Donnell, Kathleen. "*Gabrielle Roy's Portrait of the Artist*". *La Revue de l'Université d'Ottawa*, 44, no 1 (Janvier-mars 1974), 70-77.

Pascal, Gabrielle. "La condition féminine dans l'oeuvre de Gabrielle Roy". *Voix et images*, 5, no 1 (automne 1979), 143-163.

Poulin, Gabrielle, "Le pays réinventé: entre rivière et jardins". *Relations*, 36, no 415 (Mai 1976), 157-58.

——————. "Romans québécois féminins des années '70: la femme et le pays toujours futurs". *Relations*, 36, no 421 (Décembre 1976), 347-50.

Ricard, François. "Le cercle enfin uni des hommes: Hommages à Gabrielle Roy pour sa trentième année de création littéraire". *Liberté*, 18, no 1 (Janvier-février 1976), 59-78.

——————. "Gabrielle Roy ou l'impossible choix". *Critère*, no 10 (Janvier 1974), 97-102.

——————. "Gabrielle Roy: 'Refaire ce qui a été quitté'". *Forces*, 44 (1978), 37-41.

Socken, Paul. "*Art and the artist in Gabrielle Roy's works*". *La Revue de l'Université d'Ottawa*, 45, no 3 (Juillet-septembre 1975), 344-50.

——————. "Le pays de l'amour *in the works of Gabrielle Roy*". *La Revue de l'Université d'Ottawa*, 46, no 3 (Juillet-septembre 1976), 309-323.

Tassie. J.-S. "La société à travers le roman canadien-français". *Archives des lettres canadiennes, Tome 3, Le Roman canadien-français*. Montréal: Fides, 1971, pp. 153-164.

Thério, Adrien. "Le portrait du père dans *Rue Deschambault* de Gabrielle Roy". *Livres et auteurs québécois*, 1969, 237-48.

Urbas, Jeannette. "Quelques images de la ville dans le roman canadien-français du vingtième-siècle". *Critère*, 17 (Printemps 1977), 219-28.

——————. "Reflet et révélation: la technique du miroir dans le roman canadien-français moderne". *La Revue de l'Université d'Ottawa*, 43, no 4 (Octobre-décembre 1973), 573-86.

Vachon, Georges-André. "L'espace politique et social dans le roman québécois". *Recherches sociographiques*, 7, no 3 (1966), 261-273.

VI. ARTICLES SUR MARGARET LAURENCE (CHOIX)

Bailey, Nancy. "*Margaret Laurence, Carl Jung, and the Manawaka Women*". *Studies in Canadian Literature*, 2, No. 2 (Summer 1977), 306-21.

Blewett, David, "*The Unity of the Manawaka Cycle*". *Journal of Canadian Studies*, 13, No. 3 (Autumn 1978), 31-39.

Bowering, George. "*That Fool of a Fear: Notes on* A Jest of God". *Canadian Literature*, 50 (1971), 41-56.

Cooley, D. "*Antimacassared in the Wilderness: Art and Nature in* The Stone Angel". *Mosaic*, 2, No. 3 (Spring 1978), 29-46.

Dombrowski, Theo Q. "*Who is This You? Margaret Laurence and Identity*". *University of Windsor Review*, 13, No. 1 (Fall-Winter 1977), 21-38.

Gom, Leona M. "*Laurence and the Use of Memory*". *Canadian Literature*, 71 (Winter 1976), 48-57.

—————————. "*Margaret Laurence and the first person*". *Dalhousie Review*, 55, No. 2 (Summer 1975), 236-50.

Hehner, Barbara. "*River of now and then: Margaret Laurence's Narratives*". *Canadian Literature*, 74 (Autumn 1977), 40-57.

Jeffrey, David L. "*Biblical Hermeneutic and Family History in Contemporary Canadian Fiction*: Wiebe and Laurence". *Mosaic*, 2, No. 3 (1978), 86-106.

Johnston, Eleanor. "*The Quest of the Diviners*". *Mosaic*, 2, No. 3 (1978), 107-17.

Kertzer, J.M. "The Stone Angel: *time and responsibility*". *Dalhousie Review*, 54, No. 3 (Autumn 1974), 499-509.

Kreisel, Henry. "*The African Stories of Margaret Laurence*". *Canadian Forum*, 41 (1961), 8-10.

Laurence, Margaret. "*Sources*". *Mosaic*, 3, No. 3 (1970), 80-84.

—————————. "*Ten Year's Sentences*". *Canadian Literature*, 41 (1969), 10-16.

—————————. "*Time and the narrative voice*". *The Narrative Voice*. Ed. John Metcalf. Toronto: McGraw-Hill Ryerson, 1972.

Lever, Bernice. "*Manawaka Magic*". *Journal of Canadian Fiction*, 3, no. 3 (1974), 93-96.

McLay, C.M. "*Every Man is an Island: Isolation in* A Jest of God". *Canadian Literature*, 50 (Autumn 1971), 57-68.

Mitcham, Allison. "*The Canadian Matriarch: a study in contemporary French and English-Canadian Fiction*". *La Revue de l'Université de Moncton*, 7° année, no 1 (Janvier 1974), 37-42.

Morley, Patricia. "*The long trek home: Margaret Laurence's stories*". *Journal of Canadian Studies*, 11, No. 4 (November 1976), 19-26.

Read, S.E. "*The Maze of Life*". *Canadian Literature*, 27 (Winter 1966), 5-14.

Robertson, George. "*An artist's progress*". *Canadian Literature*, 21 (1964), 53-55.

Stevenson, Warren. "*The Myth of Demeter and Persephone in* A Jest of God". *Studies in Canadian Literature*, Winter 1976, 120-23.

VII. HISTOIRE ET CRITIQUE LITTÉRAIRES

Atwood, Margaret. "*Paradoxes and dilemmas: the woman as writer*". *Women in the Canadian Mosaic*. Ed. Gwen Matheson. Toronto: Peter Martin Associates, 1976, pp. 257-73.

—————. *Survival: A Thematic Guide to Canadian Literature*. Toronto: Anansi, 1972.

Bessette, Gérard. *Une littérature en ébullition*. Montréal: Éditions du Jour, 1968.

Cappon, Paul, ed. *In Our Own House: Social Perspectives on Canadian Literature*. Toronto: McClelland & Stewart, 1978.

Collet, Paulette. *L'Hiver dans le roman canadien-français*. Québec: PUL, 1965.

Dionne, René, et al. "*The Social and Political Novel*/Le roman engagé au Canada français". *La Revue de l'Université Laurentienne*, 9, no 1 (Novembre 1976).

Doyle, J., et al. "Le Régionalisme dans la littérature canadienne". *La Revue de l'Université Laurentienne*, 8, no 1 (Novembre 1975).

Dumont, Fernand et Jean-Charles Falardeau. *Littérature et société canadiennes-françaises*. Québec: PUL, 1964.

Falardeau, Jean-Charles. *Imaginaire social et littérature* (coll. "Reconnaissances"). Montréal: HMH, 1974.

—————. *Notre société et son roman* (coll. "H"). Montréal HMH, 1972.

Frye, Northrop. *Anatomy of Criticism*. Princeton: Princeton Univ. Press, 1973.

—————. *The Bush Garden: Essays on the Canadian Imagination*. Toronto: Anansi, 1971.

—————. *The Critical Path: An Essay on the Social Context of Literary Criticism*. Bloomington: Indiana Univ. Press, 1973.

—————. *The Educated Imagination*. Toronto: CBC Publications, 1963.

—————. *The Modern Century*. Toronto: Oxford Univ. Press, 1967.

—————. *The Stubborn Structure: Essays on Criticism and Society*. London: Methuen & Company, 1974.

—————. *The Well-tempered Critic*. Bloomington: Indiana Univ. Press, 1963.

Gay, Paul. *Notre roman*. Montréal: HMH, 1973.

Gnarowski, Michael. *A Concise Bibliography of English-Canadian Literature*. Toronto: McClelland & Stewart, 1973.

Goldman, Lucien. *Pour une sociologie du roman*. Paris: Gallimard, 1964.

Grandpré, Pierre de. *Histoire de la littérature française du Québec, Tome 4, Roman, théâtre, histoire, journalisme, essai, critique de 1945 à nos jours*. Montréal: Beauchemin, 1969.

Greene, Margaret Lawrence. *The School of Femininity*. Toronto: Musson, 1975.

Hayne, David M. "*Comparative Canadian Literature: Past History, Present State, Future Needs*". *Canadian Review of Comparative Literature/Revue canadienne de littérature comparée*. Spring/Printemps 1976, 113-23, 124-36 (bibliographie préliminaire).

Jones, D.G. *Butterfly on Rock*. Toronto: Univ. of Toronto Press, 1973.

Julien, Bernard, et al. *Archives des lettres canadiennes, Tome 3, Le Roman*. Montréal: Fides, 1971.

Klinck, Carl F., ed. *Literary History of Canada*. 3 volumes. Toronto: Univ. of Toronto Press, 1976.

Lecker, Robert and Jack David. *The Annotated Bibliography of Canada's Major Authors*. Volume 1. Downsview: ECW Press, 1979.

Lemire, Maurice. *Les Grands Thèmes nationalistes du roman historique canadien-français*. Québec: PUL, 1970.

Le Moyne, Jean. *Convergences*. Montréal: HMH, 1969.

Lukács, Georg. *La Théorie du roman*. Paris: Gonthier, 1963.

——————. *Realism in Our Time*. New York: Harper Torchbooks, 1971.

Mathews, Robin. *Canadian Literature: Surrender or Revolution*. Toronto: Steel Rail Educational Publishing, 1978.

Mandel, Eli. *Another Time*. Erin: Press Porcépic, 1977.

——————, ed. *Contexts of Canadian Criticism*. Chicago: Univ. of Chicago Press, 1971.

Marcotte, Gilles. *Le Roman à l'imparfait: essais sur le roman québécois d'aujourd'hui*. Montréal: Éditions La Presse, 1976.

——————. *Les Bonnes Rencontres*. Montréal: HMH, 1971.

——————. *Une Littérature qui se fait*. Montréal: HMH, 1968.

McCourt, Edward. *The Canadian West in Fiction*. Toronto: Ryerson, 1970.

Moisan, Clément. *L'Âge de la littérature canadienne*. Montréal: HMH, 1969.

Moss, John. *Patterns of Isolation*. Toronto: McClelland & Stewart, 1974.

——————. *Sex and Violence in the Canadian Novel: The Ancestral Present*. Toronto: McClelland & Stewart, 1977.

New, W.H. *Articulating West: Essays on Purpose and Form in Modern Canadian Writing*. Toronto: New Press, 1972.

Northey, Margot. *The Haunted Wilderness*. Toronto: Univ. of Toronto Press, 1976.

Paradis, Suzanne. *Femme fictive, femme réelle*. Québec: Éditions Garneau, 1966.

Renaud, André et Réjean Robidoux. *Le Roman canadien-français du vingtième siècle*. Ottawa: Éditions de l'Université d'Ottawa, 1966.

Ricou, Laurence R. *Vertical Man/Horizontal World: Man and Landscape in Canadian Prairie Fiction*. Vancouver: UBC Press, 1973.

Sainte-Marie-Eleuthère, Soeur. *La Mère dans le roman canadien-français*. Québec: PUL, 1964.

Shek, Ben-Zion. *Social Realism in the French-Canadian Novel*. Montréal: Harvest House, 1977.

Smith, A.J.M., ed. *Masks of Fiction: Canadian Critics on Canadian Prose*. Toronto: McClelland & Stewart (NCL no. 2), 1961.

Stratford, Philip and Maureen Newman. *Bibliography of Canadian Books in Translation: French to English and English to French/Bibliographie de livres canadiens traduits de l'anglais au français et du français à l'anglais*. Ottawa: HRCC/CCRH, 1977.

————————, ed. *Canadian Review of Comparative Literature/Revue canadienne de littérature comparée*. Spring/Printemps 1979. (numéro consacré exclusivement aux littératures canadienne et québécoise).

Stephens, Donald, ed. *Writers of the Prairies*. Vancouver: UBC Press, 1973.

Sutherland, Ronald. *The New Hero: Essays in Comparative Quebec/Canadian Literature*. Toronto: Macmillan, 1977.

————————. *Second Image: Comparative Studies in Quebec/Canadian Literature*. Toronto: New Press, 1971.

Thomas, Clara. *Our Nature, Our Voices: A Handbook of English-Canadian Literature, Volume 1, Settlement to 1960*. Toronto: New Press, 1973.

Tougas, Gérard. *A Check-List of Printed Materials Relating to French-Canadian Literature*. Vancouver: UBC Press, 1973.

————————. *Histoire de la littérature canadienne-française*. Paris: PUF, 1967.

Warwick, Jack. *The Long Journey: Literary Themes of French Canada*. Toronto: Univ. of Toronto Press, 1968.

Waterston, Elizabeth. *Survey: A Short History of Canadian Literature*. Toronto: Methuen, 1973.

Weisstein, Ulrich. *Comparative Literature and Literary Theory*. Bloomington: Indiana Univ. Press, 1968.

Wellek, René et Austin Warren. *La Théorie littéraire*. Trad. de l'anglais par J.-P. Audigier et J. Gattégno. Paris: Seuil, 1971.

Woodcock, George. *Odysseus Ever Returning*. Toronto: McClelland & Stewart (NCL no. 71), 1970.

————————, ed. *The Canadian Novel in the Twentieth Century*. Toronto: McClelland & Stewart (NCL no. 115), 1975.

————————. *The Sixties: Canadian Writers and Writing of the Decade*. Vancouver: UBC Press, 1969.

Zéraffa, Michel. *Roman et société*. Paris: PUF, 1971.

---

1 Les articles sur Gabrielle Roy (ainsi que ceux sur Margaret Laurence [section VI de la bibliographie]) ont été choisis en fonction de leur pertinence par rapport à notre étude. Voir aussi *The Annotated Bibliography of Canada's Major Authors*, Ed. Robert Lecker et Jack David (Gabrielle Roy, pp. 213-263; Margaret Laurence, pp. 47-102).

TABLE DES MATIÈRES

PREMIÈRE PARTIE

Deux Chemins

DEUXIÈME PARTIE

Une recherche